NOS CHERS ESPIONS EN AFRIQUE

DES MÊMES AUTEURS

Ouvrages d'Antoine Glaser

Africafrance, Fayard, 2014, Pluriel, 2017.
Arrogant comme un Français en Afrique, Fayard, 2016, Pluriel, 2018.
Sarko en Afrique, avec Stephen Smith, Plon, 2008.
Comment la France a perdu l'Afrique, avec Stephen Smith, Calmann-Lévy, 2005, Pluriel, 2006.
Ces Messieurs Afrique 2, des réseaux aux lobbies, avec Stephen Smith, Calmann-Lévy, 1997.
Ces Messieurs Afrique 1, le Paris-Village du continent noir, avec Stephen Smith, Calmann-Lévy, 1994
L'Afrique sans Africains, le rêve blanc du continent noir, avec Stephen Smith, Stock, 1994.

Ouvrages de Thomas Hofnung

Le Scandale des biens mal acquis, Enquête sur les milliards volés de la Françafrique, avec Xavier Harel, La Découverte, 2011.
La crise ivoirienne. De Félix Houphouët-Boigny à la chute de Laurent Gbagbo, La Découverte, 2011.
Georges Marchais. L'inconnu du Parti communiste français, L'Archipel, 2001.
Désespoirs de paix : l'ex-Yougoslavie de Dayton à la chute de Milosevic, Atlantica, 2000.

Antoine Glaser
Thomas Hofnung

Nos chers espions en Afrique

Fayard

Carte © Philippe Paraire
Création graphique et illustration de couverture : un chat au plafond

ISBN : 978-2-213-70509-5

Dépôt légal : septembre 2018
© Librairie Arthème Fayard, 2018

INTRODUCTION

« Vous savez, pour moi, le vrai secret, c'est là où on a enterré le grand-père dans le jardin. Vos secrets de Blancs, je peux bien vous les raconter, cela ne me dérange pas ! » Cette réflexion d'un officier de renseignement africain, formé par les services français, nous a donné l'idée de ce livre. Le secret des uns n'est pas le secret des autres.

« Nos chers espions » ont souvent pensé qu'ils connaissaient mieux l'Afrique que les Africains. Mais dans cette Afrique mondialisée du début du xxie siècle, nos espions français sont-ils toujours aussi bien informés ? Au moment où dans les pays du Sahel l'armée tricolore sert de cache-misère à une présence française globalement en déshérence et où la France a perdu l'essentiel de ses repères postcoloniaux, les « services » ont retrouvé leur raison d'être d'informateurs privilégiés du pouvoir politique. Au-delà même de la lutte anti-terroriste, nos « grandes oreilles » se sont ainsi démultipliées dans toutes les strates socio-économiques des pays africains. Nos espions sont même devenus les nouveaux stratèges de nos relations avec l'Afrique et, comme on le verra, jusqu'au cœur de l'Élysée.

Ce qui a changé pour les maîtres espions est le passage d'un système intégré d'État, qui a prévalu pendant toute la période de la guerre froide, des indépendances en 1960 jusqu'à la chute du mur de Berlin en 1989, à une privatisation partielle du renseignement. Le réseau des réseaux espions de la France en Afrique n'a longtemps eu qu'un seul chef : Jacques Foccart. Chargé par le général de Gaulle de l'Afrique, des services secrets et du RPF (Rassemblement du peuple français), Jacques Foccart était lui-même un ancien du BCRA (Bureau central de renseignement et d'action) de la France libre, créé en juillet 1940 à Londres. L'homme de l'ombre du Général gérait à la fois les responsables de l'Afrique des services officiels, tels que le SDECE (Service de documentation extérieure et de contre-espionnage, qui deviendra la DGSE, Direction générale de la sécurité extérieure en avril 1982) et son propre réseau de fidèles placés auprès des chefs d'État africains alliés. On avait coutume de dire que « pas un criquet ne stridulait en Afrique sans que Foccart ne soit au courant ». C'était sans doute exagéré pour l'ensemble du continent, mais pas faux pour le domaine dans lequel il exerçait ses prérogatives. Sa position de gendarme de l'Afrique pour la défense de l'Occident permettait à la France de continuer à vivre, en solo, dans ses anciennes colonies, sans concurrence. Les deux principaux alliés de Jacques Foccart étaient le président

ivoirien Félix Houphouët-Boigny et le président gabonais Omar Bongo. Deux chefs d'État francophiles
autant que francophones, intégrés et protégés dans
le dispositif du renseignement français.

Aujourd'hui, s'il n'y a plus de PLR (poste de liaison et de renseignement) institutionnel dans les présidences africaines, comme à l'époque de Jacques
Foccart, les chefs d'État africains demeurent de pré-
cieuses sources pour les services français. En contrepartie, ils sont très friands d'informations confidentielles qui leur permettent de conforter leur pouvoir.
Au menu principal de rencontres discrètes : qui com-
plote contre moi dans mon entourage et chez mes
voisins ? Que fabriquent mes opposants à Paris ?

Sur des dossiers très sensibles, c'est parfois le directeur de la DGSE ou l'un de ses adjoints qui se
déplacent. Quand les relations diplomatiques se ré-
vèlent compliquées avec certains pays, comme le
Soudan, ce sont les services qui servent de relais
sur des dossiers d'intérêts communs : le terrorisme,
les flux migratoires, la connaissance intime des chefs
des réseaux clandestins des pays voisins. Pour les
pays liés à Paris, c'est la routine. En Centrafrique,
un colonel de la DGSE s'entretient ainsi chaque
mardi et jeudi avec le président Faustin-Archange
Touadéra. Avant ses rendez-vous rituels, le colonel
lance à son secrétariat : « Je vais manger des pis-
taches avec Touadéra. »

Voilà pour les canaux officiels de renseignement.
Mais plusieurs décennies de présence française multi-
forme en Afrique offrent mille et une autres sources

moins institutionnelles. Les plus sollicitées ont long-temps été les « honorables correspondants » corses, réputés, à juste titre, être les mieux informés sur les secrets les plus verrouillés des palais africains. Dans leurs casinos se pressent également les personnali-tés les plus discrètes des réseaux d'affaires. Malgré leurs soucis judiciaires en France pour leur rôle d'ap-porteurs d'affaires auprès de présidents africains, ils bénéficient d'une protection indéfectible de la part des hommes de l'ombre. Justice et renseignement ne font pas bon ménage. Dans le Sahel, nos « amis touareg » sont nos yeux et nos oreilles, à la grande fureur de pouvoirs centraux frustrés qui ne sont pas dans la boucle du renseignement.

En Afrique, les diplomates ont aussi, au cours des années, été sélectionnés pour leur goût du secret. Au-delà même du classique poste de deuxième conseil-ler d'ambassade, souvent une couverture pour un fonctionnaire de la « Boîte » (l'un des surnoms de la DGSE), la grande majorité des Excellences sont au parfum sur les dossiers africains. Nombre d'entre eux ont servi à la direction de la Stratégie de la DGSE. Ils sont donc habilités à manipuler des do-cuments estampillés « Confidentiel Défense ». Les plus capés des anciens maîtres espions français sur l'Afrique ont pris l'ascenseur pour le haut des tours de la Défense, dans le premier cercle des patrons des groupes français. Un vrai système de vases com-municants : la coopération militaire a perdu d'an-née en année ses budgets et ses formateurs au pro-fit d'agents de sociétés privées.

10

Les services secrets français officiels sont-ils informés ? Sans l'ombre d'un doute. Environ une fois par trimestre, mais parfois plus fréquemment, les responsables de ces sociétés de sécurité rencontrent au centre de crise du Quai d'Orsay des correspondants de la DGSE et de la DGSI (Direction générale de la sécurité intérieure). Ils sont ainsi des milliers à avoir traversé le miroir, retraités ou non du secteur public, vers le secteur privé. D'anciens militaires qui étaient autrefois en uniforme ou en costume d'agents d'influence. Des coopérants de l'enseignement ou de hauts fonctionnaires en poste dans les présidences africaines. Les militaires et policiers ont souvent créé des sociétés privées de sécurité, voire d'intelligence économique, pour se mettre au service de grands groupes, de moins en moins tricolores. De leur côté, les civils se sont lancés dans des activités de consultant ou de communicant politique. Tous ont gardé un cordon quasi ombilical avec les nombreux services officiels français auxquels ils ont appartenu ou avec les officiers traitants qu'ils ont fréquentés à certains moments de leur carrière africaine. Mais ils ont fort à faire, car la concurrence est de plus en plus rude. Hommes de l'ombre tricolores, officiels et officieux, ne sont plus seuls dans les anciennes colonies. Pour échapper au *Big Brother* français, les chefs d'État africains sollicitent de plus en plus des sociétés israéliennes pour leur protection personnelle.

Ancien chef adjoint des renseignements militaires de l'Ouganda, pays où il était en exil, le président rwandais Paul Kagame qui a pris le pouvoir à Kigali en 1994, après le génocide, contre un régime soutenu par les Français, a déjà fait savoir que l'Afrique n'avait pas besoin de « baby-sitters[1] ». Message reçu « cinq sur cinq » par président Emmanuel Macron, même si ce dernier a offert au Rwanda la direction de l'Organisation internationale de la francophonie (OIF) en soutenant la candidature de la ministre rwandaise des Affaires étrangères, Louise Mushikiwabo, au détriment de la Canadienne Michaëlle Jean.

L'Algérie demeure aussi un pays kaléidoscope pour les services français. Acteurs majeurs du pouvoir, les services secrets algériens ont toujours joué en France la DST (Direction de la surveillance du territoire, aujourd'hui DGSI) contre la DGSE. Ce qui ne facilite pas les relations ambigües avec la présence militaire française au Mali. Un jeu de go meurtrier animé par les chefs des groupes armés du Nord du Mali.

D'anciens bastions des services secrets français en Afrique, tels que Djibouti ou la République centrafricaine, sont aussi menacés. À Djibouti, le président Ismaël Omar Guelleh, premier chef d'État africain invité fin novembre 2017 par le président Xi Jinping après sa réélection à la tête du Parti communiste chinois, est sous le charme de Pékin. Pièce majeure dans la pénétration du continent africain par la Chine, Djibouti va devenir un « nid d'espions » aussi actif que Berlin au temps de la guerre froide avec la présence d'une dizaine de bases militaires (française, américaine, chinoise, allemande, japonaise, espagnole…).

---

1. *Jeune Afrique*, 18 juin 2018.

Même le monopole français sur la formation des officiers africains est sérieusement remis en cause par Pékin, selon une note confidentielle rédigée par le Quai d'Orsay[1]. En Centrafrique, où un officier de la DGSE, Jean-Claude Mantion, a eu une influence de 1981 à 1993 qui dépassait largement ses attributions dans le seul secteur de la sécurité auprès du président André Kolingba, c'est Moscou qui est désormais le grand protecteur du président en fonction, Faustin-Archange Touadéra. Une cinquantaine d'éléments des forces spéciales russes assurent sa garde rapprochée dans le cadre d'une livraison d'armes cautionnée par les Nations unies. Un accord militaire a été conclu entre Moscou et Bangui en décembre 2017. Les Russes, qui vont former deux bataillons des FACA (Forces armées centrafricaines), soit 1 300 hommes, ont installé leur état-major au sein du palais de Berengo de l'ancien empereur Jean-Bedel Bokassa. Un symbole aussi fort que l'installation des services culturels de l'ambassade de Chine à Paris dans l'ancien ministère de la Coopération, rue Monsieur !

Face à cette mondialisation des services secrets en Afrique, on comprend mieux pourquoi « nos chers espions » ne rechignent plus à mobiliser le ban et l'arrière-ban de tous les réseaux de la France en Afrique – officiers retraités, diplomates branchés, Corses de palais, hommes d'affaires… – pour conjurer les guerres franco-françaises des officiers de renseignement.

---

1. Africa Intelligence, 28 mai 2018.

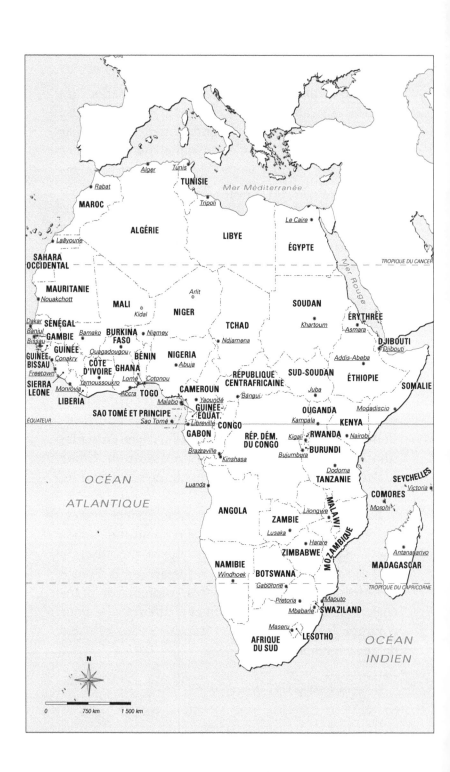

CHAPITRE PREMIER

Nos présidents chouchous

Paris, juin 2017. Près de trente ans après, Claude Silberzahn n'a pas encore décoléré. Dans cette brasserie de la place Maubert, l'ancien patron de la DGSE élève le ton au souvenir de sa première rencontre, début 1990, avec le président tchadien Hissène Habré. « En sortant, j'ai retrouvé ma femme qui m'avait accompagné et je lui ai dit : "Celui-là, je vais tout faire pour le virer." Il va foutre le feu à toute la région. Il sait qu'il a du pétrole et les Américains avec lui. Il se moque de nous. »

Silberzahn revit la scène : « Je lui ai parlé droits de l'homme. Il n'a rien dit. Et, surtout, il ne m'a rien dit sur la "Force Haftar"[1]. »

Haftar ? Oui, c'est bien le même. Le maréchal Khalifa Haftar, l'actuel homme fort de l'Est de la Libye. Commandant en chef de l'armée nationale, il est aujourd'hui sollicité par plusieurs pays occidentaux, y compris la France, pour remettre de l'ordre

---

1. Entretien avec l'auteur, Paris, 10 juin 2017.

dans la Tripolitaine. Mais, en 1990, c'était l'homme des seuls Américains. Dans le dos des Français, le président Hissène Habré soutenait une *covert action*[1] de la CIA au Tchad contre le colonel Kadhafi, notre « ami » à l'époque. L'opération consistait à retourner des soldats libyens faits prisonniers par l'armée tchadienne. Plus de 2 000 d'entre eux avaient été secrètement regroupés dans un camp. À leur tête, le colonel dissident Khalifa Haftar, encore clandestin.

La DGSE est au courant, mais ni les « alliés » américains ni Hissène Habré n'en font état aux Français. « C'est tout de même une *covert action* de la CIA, pas pour les amis », s'emporte à nouveau Claude Silberzahn. Le chef des services secrets français rentre à Paris. Il rend compte au président François Mitterrand de la trahison d'Hissène Habré au profit des Américains et de son projet de le « virer ». Réponse de Mitterrand : « C'est vous qui voyez, faites comme vous le sentez mais rappelez-vous que nous avons des accords de défense avec le Tchad. Il faut en parler à Jean-Pierre Chevènement [alors ministre de la Défense]. »

« J'ai mis beaucoup de temps à convertir Jean-Pierre Chevènement, admet Claude Silberzahn. Je lui demandais simplement que les avions Jaguar de l'opération *Épervier* ne décollent pas et que les forces françaises basées à Faya-Largeau [Tchad] regardent plus à l'ouest qu'à l'est. »

---

1. Opération secrète, conçue et menée de telle façon que le commanditaire est inconnu ou qu'il peut raisonnablement nier son implication.

À l'est, c'est Idriss Déby, un ancien compagnon de route d'Hissène Habré entré en dissidence, qui se prépare à pénétrer au Tchad à partir du Soudan à la tête de ses troupes constituées essentiellement de membres de son ethnie, les Zaghawas. À ses côtés, son futur conseiller spécial, Paul Fontbonne, jusque-là chef de poste de la DGSE à Khartoum. D'abord réticents à toute opération contre Hissène Habré, les officiers français basés au Tchad « acceptent la stratégie de la DGSE parce qu'ils sont persuadés qu'Hissène Habré "résistera sans problème" à la rébellion », ironise Silberzahn.

Erreur d'analyse : le régime d'Hissène Habré s'effondre. Les Américains négocient avec les Français son exfiltration vers le Sénégal. Habré ne part pas les mains vides : il passe à la Banque centrale pour bourrer quelques valises de milliards de francs CFA[1]. De leur côté, les opposants armés libyens sont convoyés vers le Kenya et le Congo. Avant de quitter le terrain, les Américains obtiennent des Français qu'ils les aident à récupérer les missiles Stinger fournis à Hissène Habré pour descendre les avions libyens. Le vœu de Claude Silberzahn est exaucé : Idriss Déby et son conseiller de la DGSE, Paul Fontbonne, s'installent à la présidence de la République du Tchad.

Près de trente ans après sa prise de pouvoir à Ndjamena, et plusieurs élections à sa main, Déby est toujours là. Malgré des relations parfois en dents de scie avec les pouvoirs politiques à Paris, ses amis espions français ne lui ont jamais manqué. Ils ont

---

1. Selon la Commission nationale d'enquête mise sur pied à la fin de son régime.

même tout de suite fait comprendre aux diplomates du Quai d'Orsay qu'Idriss Déby était leur homme et qu'il ne fallait pas l'agacer. Cela commence tôt. Nommé en 1990 par François Mitterrand, l'ambassadeur de France Yves Aubin de La Messuzière est très vite mis au parfum. Il nous raconte : « Peu de temps avant mon départ pour Ndjamena, à l'instigation de la cellule africaine de l'Élysée, je suis convié à participer à un dîner organisé par la DGSE en l'honneur d'Idriss Déby qui fait son premier déplacement à Paris depuis sa prise de pouvoir. C'est contraire aux usages, comme me le fait remarquer le Quai d'Orsay, mais je suis impatient de connaître le personnage. Je le trouve plutôt réservé, voire sur ses gardes face au flot de questions que lui adressent des convives fascinés par ses exploits guerriers. Je ne suis pas dupe des arrière-pensées des services, soucieux de montrer d'emblée au futur représentant de la France au Tchad que le nouveau chef de l'État leur doit beaucoup[1]. »

Ce ne sera qu'un premier message. Sans doute pas suffisamment coopératif, l'ambassadeur sera vite marginalisé à l'initiative de Michel Roussin, alors ministre de la Coopération et ancien directeur de cabinet au SDECE. En grand secret, le ministre convoque à Dakar, au Sénégal, en septembre 1992, André Bailleul, chef de mission de coopération à Ndjamena. Il lui tient ces propos : « Monsieur Bailleul, on a un problème à Ndjamena. Le président Déby ne veut plus voir l'ambassadeur, qui,

---

1. Antoine Glaser, *AfricaFrance, quand les dirigeants africains deviennent les maîtres du jeu*, Paris, Fayard, 2014.

dit-il, se comporte en haut-commissaire. Le chef de l'État vous apprécie et ne veut plus avoir affaire qu'à vous au niveau de l'ambassade. » Dans la foulée, Michel Roussin précise au haut fonctionnaire : « Vous ne rendrez compte qu'à Paul Fontbonne [le conseiller spécial de la DGSE]. Il sera en relation avec vous et, autant que besoin, il vous appellera pour rencontrer le chef de l'État[1]. » Aussitôt dit, aussitôt fait. La DGSE garde la main sur le Tchad.

Les grands protecteurs d'Idriss Déby seront également au rendez-vous en février 2008 : leur chouchou est à deux doigts de perdre le pouvoir. Ses cousins rebelles zaghawas sont entrés dans Ndjamena. Acculé dans son palais, Idriss Déby dispose à ses côtés du colonel de la DGSE Jean-Marc Gadoullet. Ce n'est pas le premier séjour de l'officier français dans ce pays stratégique : il a déjà transformé en 2004 la garde républicaine en une Direction générale des services de sécurité et des institutions de l'État. Dans ses Mémoires, l'agent de la DGSE livre les minutes de ce moment critique : « Je suis au centre opérationnel avec les officiers tchadiens. Je dispose de ma communication directe avec Paris. Je reçois les informations françaises et je connais les positions des rebelles au centimètre près, minute par minute. Je transmets ces données stratégiques à l'état-major tchadien[2]. »

En trois phrases, l'officier a tout dit sur le soutien en renseignement décisif qui sauve le président

---

1. Antoine Glaser, *AfricaFrance*, op. cit.

2. Jean-Marc Gadoullet, Mathieu Pelloli, *Agent secret*, Paris, Robert Laffont, 2016.

tchadien. Pourtant, à Ndjamena, la rumeur a déjà annoncé la mort d'Idriss Déby. Jean-Marc Gadoullet scénarise alors son heure de gloire à l'Élysée : « Le lendemain, à un Conseil de défense à Paris autour de Nicolas Sarkozy, les ministres des Affaires étrangères et de la Défense expliquent au président de la République qu'Idriss Déby est bien décédé. Assis à la table, Pierre Brochand, le directeur général de la DGSE, sourit doucement : "Idriss Déby n'est pas mort, glisse-t-il. D'ailleurs la preuve, parlez-lui." À six mille kilomètres de l'Élysée, mon portable sonne et je réponds : "Bonjour, je vous passe Idriss Déby." De son côté, le patron de la DGSE tend son appareil à Nicolas Sarkozy. Les deux présidents conversent sous les yeux de l'assistance médusée [...]. Je suis promu colonel pour faits d'armes[1]. »

Coup d'État à Bangui, silencio à Paris

Carte maîtresse des services de renseignement français dans la région – et, on le verra, jusqu'aux confins des massifs montagneux de la zone sahélo-saharienne –, Idriss Déby est aussi à la manœuvre dans les pays voisins comme la République centrafricaine. Fatigué de la paranoïa anti-française d'Ange-Félix Patassé, président élu en 1993 et ré-élu en 1999 à la tête du pays de l'ancien empereur Bokassa, Paris laisse s'accomplir un coup d'État à Bangui, le 15 mars 2003. Réfugié à Ndjamena,

---

1. *Ibid.*

François Bozizé, ancien chef d'état-major de l'armée centrafricaine, prend le pouvoir en Centrafrique avec le soutien décisif d'une partie de la garde présidentielle d'Idriss Déby. Bien qu'aux premières loges, Paris ne moufte pas.

Dix ans plus tard, le 25 mars 2013, c'est le même Déby qui laisse la coalition musulmane de la Séléka (alliance des rebelles) déboulonner son ancien allié. Pourquoi ? François Bozizé a l'impudence de vouloir exploiter les gisements de pétrole du Nord de la Centrafrique, qui ne sont que le prolongement de ceux du Sud du Tchad. Du côté français, la DGSE est fortement agacée par la pression financière mise sur le groupe Areva par l'entourage présidentiel pour l'exploitation du gisement d'uranium de Bakouma, dans le Sud-Est du pays. La DGSE conduit alors une guerre de l'ombre peu connue. La cible : Saifee Durbar, le conseiller et l'éminence grise financière du président François Bozizé.

Rencontré en décembre 2017 dans ses bureaux du quartier de Mayfair, non loin du palais de Buckingham, cet homme d'affaires d'origine indopakistanaise ne cache pas qu'il a passé sa vie à contrer les intérêts français en Afrique. Il se vante même d'être à l'origine, dans les années 1990, de la fermeture des bases militaires françaises en Centrafrique. Et finit par accuser la DGSE d'avoir « à deux reprises » saboté ses avions[1]. Une accusation jamais étayée par une enquête.

---

1. Entretien avec l'auteur, Londres, 12 décembre 2017.

Après Ange-Félix Patassé, Saifee Durbar devient le conseiller de son successeur putschiste François Bozizé. Pour les Français, Durbar est l'âme damnée du président centrafricain. Il conseille à Bozizé de réclamer à Areva une forte somme d'argent pour l'exploitation du gisement d'uranium de Bakouma. D'après Saifee Durbar, « Areva qui aurait pu racheter Uramin à 475 millions de dollars en 2006 met 2,5 milliards sur la table en mai 2007 ». Outre Bakouma, figurent dans le portefeuille d'Uramin deux autres projets d'exploitation de réserves non prouvées d'uranium en Namibie et en Afrique du Sud. Une acquisition qui se révélera un fiasco autant financier qu'économique. Il est vrai qu'entre-temps le drame de Fukushima au Japon a fait plonger le cours de l'uranium de 100 dollars à 50 dollars la livre. La folie boursière d'Uramin n'en reste pas moins dans les mains des magistrats après l'ouverture de plusieurs procédures judiciaires[1].

Dans un premier temps, Saifee Durbar conseille à Bozizé de taxer Areva de 150 millions de dollars pour avoir « laissé les mines à l'air libre sans protection

---

1. À la suite d'une mésentente entre les trois juges d'instruction Renaud Van Ruymbeke, Claire Thépaut et Charlotte Bilger – qui ont mis en examen Anne Lauvergeon, ancienne P-DG du groupe, pour « publication de comptes inexacts et fausses informations » – et le Parquet national financier, l'instruction se poursuit. Le 29 mars 2018, c'est l'ancien directeur des mines d'Areva, Sébastien de Montessus, qui a été mis en examen pour « corruption d'agent public étranger, corruption privée et abus de confiance » à la suite de versements mensuels au ministre namibien du Commerce et de l'Industrie, devenu l'actuel président Hage Geingob.

pour les populations et changé d'actionnaire sans que l'État centrafricain n'en soit informé ». Sans succès. Paris voit rouge. D'autant que François Bozizé s'émancipe de plus en plus, sur le plan financier, de ses parrains français grâce à des rentrées d'argent liquide obtenues par Durbar pour payer le salaire des fonctionnaires. À l'Élysée, le conseiller Afrique Bruno Joubert, ancien directeur de la Stratégie de la DGSE, n'a qu'une obsession : « Dégager Saifee Durbar de l'entourage du Président[1]. » Non seulement François Bozizé résiste, mais il le nomme vice-ministre des Affaires étrangères avec résidence à Londres, à l'abri de Paris. Pas totalement… Saifee a un vieux dossier judiciaire qui traîne au tribunal de Créteil. Une aubaine pour les services français !

Saifee Durbar se remémore sa descente aux enfers : « Nos avocats britanniques avaient saisi, en août 2007, Herbert Smith, le cabinet d'Areva, pour obtenir 150 millions de dollars. Aucune nouvelle… Cinq semaines plus tard, exactement le 6 septembre 2007, j'étais à Bangui et on m'appelle de Londres. "Un policier est venu chez vous avec un mandat international daté du 27 août 2007." Mon chef de la sécurité qui travaille pour les services britanniques se renseigne. Paris a réactivé contre moi une condamnation de 1995 pour escroquerie. J'avais servi de référent à un ami qui avait emprunté auprès d'une banque iranienne de la place Vendôme. J'étais poursuivi pour une escroquerie en bande organisée de 2,5 millions de dollars, alors qu'en 1995 j'avais acheté

---

1. Entretien avec l'auteur, Paris, 5 janvier 2018.

une maison à Cannes pour 11 millions, un bateau à 22 millions, et je disposais de trois avions à mon nom. Et j'aurais été dans une escroquerie pour moins de 300 000 dollars pour moi, puisque huit personnes étaient poursuivies ! » Saifee Durbar remet ses multiples passeports diplomatiques africains aux autorités britanniques. « Après examen, la Cour suprême m'a rendu tous mes documents et m'a autorisé à voyager à condition que je n'aille pas en France », se rappelle-t-il.

Pourquoi alors venir à confesse à Paris deux ans plus tard ? « Après le sabotage de mes avions j'ai pris peur et j'ai demandé, par l'intermédiaire de Vincent Crouzet, à prendre contact avec les services français », justifie Durbar[1]. Pour le sabotage de ses avions, d'autres sources pointent du doigt les services israéliens, qui auraient pris ombrage des relations de Saifee Durbar avec des réseaux iraniens.

Le 2 décembre 2009, l'homme d'affaires indo-pakistanais est incarcéré à la prison de la Santé. Au quartier des particuliers, où sont installés les VIP, il reçoit à deux reprises des responsables des services secrets français. Le *deal* : « En échange de mon silence sur l'affaire Uramin, on me plaçait chez moi

---

1. Ancien membre de la DGSE, Vincent Crouzet, aujourd'hui écrivain, a écrit une dizaine de romans sur ses aventures dans les maquis de la guérilla africaine avant la fin de la guerre froide. C'est lui qui a négocié le retour en France de Saifee Durbar avec les services secrets français. Une histoire, cette fois-ci réelle, qu'il raconte dans son dernier ouvrage : *Une affaire atomique, Uramin/Areva, l'hallucinante saga d'un scandale d'État*, Paris, Robert Laffont, 2017.

avec un bracelet électronique. Cela a duré trois mois et demi. Ensuite, l'affaire n'a pas eu de suites judiciaires », souffle-t-il d'une voix lasse. Condamné en 2007 à trois ans de prison ferme par contumace, Saifee Durbar ne sera finalement « retenu » que neuf mois en France (trois mois et demi à la prison de la Santé au quartier des particuliers et six mois sous bracelet électronique).

En septembre 2010, Saifee Durbar quitte la France avec un *oukaze* de non-retour des autorités françaises. À la demande du juge Van Ruymbeke, qui souhaite l'entendre sur le dossier Uramin, il reverra tout de même la tour Eiffel. « J'ai vu le juge à plusieurs reprises en 2014 et 2015 mais je ne lui ai jamais remis les documents », affirme Durbar, précisant aussitôt : « Seulement ceux qui concernaient les dossiers des intermédiaires, comme Balkany. » Le nom du maire de Levallois-Perret apparaît comme « facilitateur » entre Areva et le gouvernement centrafricain. Patrick Balkany a été reçu à plusieurs reprises à Bangui par les autorités centrafricaines chargées de ce dossier.

Soutien indéfectible
au « frère d'armes » de Brazzaville

Voilà comment François Bozizé a quitté la colonne des présidents chouchous pour celle des *personae non gratae*. La protection des services secrets français se cultive en effet sur le long terme. Pourtant, François Bozizé avait demandé conseil à son grand frère voisin, Denis Sassou-Nguesso, président de la République du Congo. Ce dernier ne l'avait-il pas initié, le 10 octobre 2003, dans l'Arche royale de l'Afrique centrale ? Une loge affiliée à la Grande Loge nationale française, longtemps le réseau des réseaux de l'Afrique en France. Mais cette alliance maçonnique n'a pas suffi à garantir à Bozizé une protection dans les milieux du pouvoir sécuritaire à Paris... contrairement à Denis Sassou-Nguesso.

Quels sont donc les puissants parrains de « Sassou » dans les services français depuis son arrivée au pouvoir en 1979 ? Des soutiens qui lui ont même permis de revenir, par la force d'un coup d'État, à la tête de la République congolaise en 1997, après une traversée du désert de cinq ans à Paris. C'est Michel Roussin qui nous donne une clé de compréhension, parmi d'autres, de cette protection au long cours. Pour lui, Sassou est avant tout un frère d'armes : « Sassou, c'est l'école des officiers de réserve de Cherchell en Algérie avant l'indépendance, puis l'école d'infanterie de Saint-Maixent. Il est embarqué en Algérie avec les Français dans les dernières embuscades avant la résolution du conflit en juillet 1962. Ensuite, je le découvre et l'apprécie, avec Jean-Yves Ollivier », décrypte l'homme qui a été le directeur de cabinet d'Alexandre de Marenches, alors patron du SDECE[1].

Mais qui est donc ce Jean-Yves Ollivier dont parle Michel Roussin ? C'est le conseiller étranger le plus intime du président congolais : « Je voue à Sassou,

---

1. Antoine Glaser, *Africafrance, op. cit.*

qui me considère comme son frère, un respect et une amitié indéfectibles », confie-t-il à *Paris Match* le 19 août 2013, au moment où il sort de l'ombre en se présentant comme l'homme de l'Afrique post-apartheid[1]. Ce qui n'est pas anodin. Qui d'autre qu'un homme familier des services secrets, autant sud-africains que français, aurait pu monter le 7 septembre 1987 l'opération *Condor* : un échange de prisonniers entre l'Afrique du Sud, l'Angola, la Namibie et la France[2] ?

Une mission impossible sans l'appui solide d'un président africain tel que Denis Sassou-Nguesso, à l'époque au mieux avec les pouvoirs marxistes-léninistes de la région, comme l'Angola. À ce moment-là, le « frère d'armes » congolais de Cherchell a gagné son ticket pour monter dans le manège des présidents chouchous de la tour Eiffel. Pour être protégé, il faut en effet rendre des services. Et ce n'est pas qu'un mot… C'est justement dans les périodes compliquées de la guerre froide que les espions français ont sélectionné leurs « vrais » amis.

---

1. Jean-Yves Ollivier, *Ni vu, ni connu*, Paris, Fayard, 2014.
2. Le 7 septembre 1987, sur le tarmac de l'aéroport de Maputo au Mozambique, 133 soldats angolais et une cinquantaine de combattants pour l'indépendance du SWAPO de Namibie sont libérés par l'Afrique du Sud, en échange du capitaine sud-africain Wynand Du Toit, capturé deux ans plus tôt en Angola alors qu'il essayait de saboter une installation pétrolière dans le cadre de l'opération *Cabinda*. Jean-Yves Ollivier a négocié cet échange de prisonniers avec la libération de deux militants anti-apartheid qui étaient retenus en Afrique du Sud : le Français Pierre-André Albertini et le Néerlandais Klaas de Jong.

Tout comme le Gabon, le Congo a, entre autres activités secrètes, été utilisé par l'industrie française d'armement pour poursuivre ses relations incestueuses avec l'Afrique du Sud de l'apartheid, boycottée officiellement par les pays occidentaux. Un secret de Polichinelle pour les initiés. En voici une preuve pour les profanes : l'utilisation du Congo comme « faux nez » pour vendre des missiles Mistral à l'Afrique du Sud, sous embargo de tout armement.

Le 10 août 1988, deux officiers congolais – dont le numéro deux des services de l'ambassade du Congo à Paris – débarquent dans l'entreprise Matra. Ils commandent la livraison à leur pays de 50 missiles Mistral et de 10 trépieds de lancement. Un missile antiaérien du type « tire et oublie » qui vient tout juste de sortir des chaînes d'armement : il n'a jamais été exporté et l'armée française n'en dispose pas encore, ce qui n'empêche pas cette commande de passer allègrement les autorisations les plus sévères des commissions d'exportation d'armement. Feu vert à tous les étages, jusqu'au 19 janvier 1989.

Un officier de renseignement balance l'opération : ces missiles ne sont pas destinés au Congo-Brazzaville mais à l'Afrique du Sud. Scandale et médiatisation bloquent l'affaire. Mais l'acompte de 15 millions de francs (3,6 millions d'euros de 2018, en tenant compte de l'inflation) à Matra – pour un contrat global de 53,3 millions de francs (environ 13 millions d'euros) – est bien arrivé *via* un compte à la Kredietbank du

Luxembourg, connu comme étant celui de l'Afrique du Sud. Ce que confirmera un compte rendu confidentiel de la DGSE : « Au cours de l'instruction, la juge [Mme Marie-Paule Morrachini] a également constaté que l'Office français d'exportation de matériel aéronautique avait reçu une trentaine de versements en provenance de ce compte[1]. »

Pourquoi cette dénonciation d'un officier du renseignement ? Une classique guerre franco-française entre intermédiaires marchands d'armes. Des anciens des services voulaient vendre directement ces missiles à leurs amis sud-africains sans passer par le Congo-Brazza. L'affaire a vite été étouffée : *via* la DGSE, le NIS (National Intelligence sud-africain) a récupéré son acompte. C'est dire si le président Denis Sassou-Nguesso est au courant de toutes les turpitudes françaises sur ce continent. Une sacrée assurance tout risque dont il semble toujours bénéficier en 2018. Aujourd'hui, le président congolais se présente comme le meilleur soutien africain de Paris dans la COP21, avec l'animation d'une Commission climat et Fonds bleu pour le bassin du Congo. Il est également l'un des « parrains » régionaux d'une partie de la classe politique centrafricaine. Bref, il a toujours de bonnes raisons d'être bien accueilli dans les milieux sécuritaires à Paris.

---

1. Stephen Smith, Antoine Glaser, *Ces Messieurs Afrique, le Paris-Village du continent noir*, Paris, Calmann-Lévy, 1997.

Omar l'intouchable, Ali le mal-aimé

Omar Bongo, autre gardien des secrets de la France en Afrique et des opérations clandestines sur son territoire, s'est éteint le 8 juin 2009 à Barcelone sans rien révéler. Lui aussi était pourtant plus qu'au parfum ! « Il considérait qu'il était partie intégrante de nos services », expliquera même Jacques Sales, qui sait de quoi il retourne : il a été chef de poste de la DGSE à Libreville pendant huit ans dans les années 1980[1].

Pour la France, le Gabon n'était pas seulement stratégique pour le continent, mais aussi pour les relations secrètes de la France avec des pays comme l'Iran. Un jeu géopolitique à trois bandes. C'est l'uranium du Gabon qui devait être livré à l'usine d'enrichissement d'Eurodif dont l'État iranien était actionnaire, à l'époque du shah, dans les années 1970. Omar Bongo était ainsi devenu un chef d'État intouchable, et pas seulement parce qu'il finançait des personnalités politiques françaises, mais aussi pour sa maîtrise des dossiers « Secret Défense » tricolores.

Pour son fils, Ali Bongo, ce fut une tout autre histoire, plutôt franco-française, jamais racontée à ce jour. Omar Bongo a bien déclaré, devant plusieurs témoins, qu'il regrettait que sa fille Pascaline ne fût pas un garçon. Mais sur son lit de mort à Barcelone, en juin 2009, le président gabonais a désigné son fils pour lui succéder. De toute façon, alors ministre de

---

1. Antoine Glaser, *Africafrance, op. cit.*

la Défense, Ali Bongo ne quitte pas Libreville. Il est prêt à prendre le pouvoir coûte que coûte, par la force si cela n'est pas par les urnes. Il envoie même un ami corse en Espagne le faire savoir à l'entourage du chef de l'État mourant.

Ils sont quatre à son chevet, Pascaline et trois conseillers : Michel Essonghe, Fidèle Etchenda et Jean-Pierre Lemboumba. C'est ce dernier qui est reçu à Paris le 13 juillet 2009 dans le bureau de Claude Guéant, secrétaire général de l'Élysée. Il confirme qu'Omar Bongo a désigné Ali comme successeur. Officiellement, Ali est à Paris pour un check-up à l'Hôpital américain de Neuilly. Le futur président s'engage à n'exercer qu'un mandat de transition et à défendre, comme son père, les intérêts stratégiques de la France. Afin d'assurer l'élection d'Ali Bongo, Nicolas Sarkozy envoie le secrétaire d'État Alain Joyandet en tournée auprès des chefs d'États voisins du Gabon pour affirmer que la France « vote » Ali Bongo et qu'il ne faut pas soutenir son principal concurrent, André Mba Obame.

Pour boucler l'affaire, un déjeuner est organisé au 2 rue de l'Élysée dans le bureau du conseiller Afrique Bruno Joubert. Surprise : à la fin du déjeuner, celui-ci fait comprendre à Ali Bongo qu'il l'a reçu à la demande de Claude Guéant, mais que, de son point de vue personnel, la France n'a pas à avoir de candidat pour l'élection présidentielle gabonaise.

La vérité est que la DGSE a un penchant pour l'ancien ministre de la Défense Idriss Ngari. Ce dernier s'est fait adouber, dès mars 2009, par les services secrets français, qui le connaissent bien, ainsi que par la compagnie pétrolière Total. Troubles chez les barons gabonais : Paris préfère-t-il Ali ou Idriss ? Fou furieux, Claude Guéant obtient de Nicolas Sarkozy la tête de Bruno Joubert. Tête qui ira rouler dans un endroit plutôt plaisant : l'ambassade de France au Maroc. Bruno Joubert profite d'une ambassade délaissée par un proche du Président, Roger Karoutchi, qui avait préféré le poste de représentant permanent de la France auprès de l'OCDE[1].

Pourquoi Ali Bongo n'était-il pas, *a priori*, le candidat des services secrets français ? Sans doute parce qu'il avait été tenu, pendant des décennies, en marge du palais présidentiel où paradait sa sœur, Pascaline, en lien avec les milieux français du père. Il avait fini par détester ces derniers et les évitait soigneusement… Avant son arrivée au pouvoir, il s'était bâti des réseaux fidèles au Maroc, au Rwanda, en Afrique du Sud, et dans les monarchies arabes du Golfe, pas à Paris. Seule concession : l'acquisition du magnifique hôtel particulier Pozzo di Borgo, le plus beau du quartier de Saint-Germain, pour 100 millions d'euros. Mais une acquisition due à la seule initiative de son épouse française, Sylvia Bongo.

---

1. À l'époque, seul le journaliste Philippe Bernard du *Monde* avait lié l'élection d'Ali Bongo le 30 août 2009 au limogeage de Bruno Joubert : « Pur hasard ? La veille du scrutin gabonais, une autre nouvelle significative avait filtré : le départ pour l'ambassade de France au Maroc de Bruno Joubert, conseiller de Nicolas Sarkozy, chargé de l'Afrique et figure de proue des "rénovateurs" de la présidence », écrivait-il dans le quotidien du 16 octobre 2009.

Retour souhaité des « grandes oreilles » françaises à Abidjan

À l'inverse, le président ivoirien Alassane Dramane Ouattara, longtemps boudé dans les milieux français qui le brocardaient comme « l'agent américain » – il fut directeur Afrique au FMI –, malgré les réseaux d'influence à Paris de son épouse Dominique, a été chercher la protection des services français en 2017. C'est vrai qu'il était déjà arrivé au pouvoir en 2011 grâce à l'amitié de Nicolas Sarkozy. « Les relations directes entre Alassane Ouattara et Nicolas Sarkozy ont été déterminantes pour faire intervenir l'armée française contre le bunker de Laurent Gbagbo », affirmait ainsi l'ambassadeur Jean-Marc Simon[1].

Un témoignage incontestable : ce diplomate, officier de réserve et branché de tout temps avec la DGSE, était en première ligne à Abidjan le 11 avril 2011 au moment de l'assaut contre le président sortant. Une fois au pouvoir, Alassane Ouattara, détenteur d'un excellent réseau aux États-Unis depuis qu'il a été en poste à Washington pour le FMI, a, dans un premier temps, surtout flirté avec des cabinets américains comme Jefferson Waterman International, dirigé par Charles Waterman et Samuel Wyman, fondés par d'anciens de la CIA ou d'anciens ambassadeurs américains à Abidjan, tels que Lannon Walker et Phillip Carter III.

---

1. Antoine Glaser, *AfricaFrance*, op. cit.

33

En mai 2017, des mutineries à répétition dans une armée constituée en grande partie de rebelles qui réclament leur dîme ébranlent le régime. Paniqué, Alassane Ouattara sollicite alors l'Élysée pour obtenir un soutien en renseignement au sein de son armée. Paris envoie, entre autres, le lieutenant-colonel François Rouby auprès de Narcisse Attoh, le directeur du renseignement militaire. Sur financement de l'Union européenne est également positionné le commissaire divisionnaire Vincent Avoine, ex-patron des RG des Hauts-de-Seine, pour une remise à plat du fonctionnement du CNR (Conseil national de renseignement), dont le patron est Vassiriki Traoré. Enfin, des éléments des forces spéciales ivoiriennes seront formés en France et au Maroc avant l'ouverture d'une école des forces spéciales en Côte d'Ivoire, à vocation régionale[1].

Rebranché sur Paris, Alassane Ouattara n'hésite pas à demander à François Hollande, à l'automne 2016, si les services français ont des éléments sur la véracité d'une écoute téléphonique qui affole les réseaux sociaux au Burkina Faso. Il s'agit d'une conversation tenue en 2015 entre Guillaume Soro, ex-chef des rebelles et président de l'Assemblée nationale ivoirienne, et Djibril Bassolé, ancien ministre burkinabé des Affaires étrangères. Au cœur de cette conversation : la préparation d'un coup d'État au Burkina Faso. Ces deux personnalités ont farouchement nié avoir tenu ces propos et dénoncé une manipulation. Mais Alassane Ouattara semble vouloir

---

1. *Lettre du Continent* du 8 novembre 2017.

forger ses propres certitudes. François Hollande lui a dit qu'il allait demander aux services. La réponse de la DGSE est revenue très vite aux oreilles d'Alassane Ouattara, *via* Hélène Le Gal, la conseillère Afrique de François Hollande. Les proches du président ivoirien affirment que la réponse, orale, était positive, mais comme elle est toujours estampillée « Secret-Défense »… Pas de preuve en main !

Le statut de « président chouchou » auprès de la DGSE pour « services rendus » n'est pas une galéjade. Cela peut vous sauver la vie, ou du moins vous éviter la prison. Après avoir été chassé du pouvoir par la rue, et aux abois dans le Sud du pays, le président Blaise Compaoré a été exfiltré, le 31 octobre 2014, par les forces spéciales françaises vers la Côte d'Ivoire. Vraisemblablement en accord avec la France, le « Beau Blaise » avait soutenu Charles Taylor au Liberia, abrité la rébellion ivoirienne à Ouagadougou et servi de base arrière financière au chef de l'Unita, l'Angolais Jonas Savimbi. Entre autres actions communes avec les services français qu'on ne connaît pas encore. Ah, si « nos présidents chouchous » écrivaient leurs Mémoires, on n'aurait pas cinquante ans à attendre le récit de leurs « aventures », archivées bien à l'ombre, boulevard Mortier.

CHAPITRE II

Nos cousins des DGSE africaines

Quand il vient à Paris, ce proche du président ivoirien Alassane Ouattara ne manque jamais l'occasion de franchir les portiques de sécurité du boulevard Mortier. Il connaît la boutique. Après avoir passé l'épreuve des rayons X, il dépose son téléphone portable à la consigne avant d'être pris en main par l'un des fonctionnaires de la « Boîte » chargés de l'accueil des visiteurs. Cheminant à ses côtés, il parcourt à pied la cour intérieure où flotte un drapeau français accroché en haut d'un mât, avant d'entrer dans le pavillon d'honneur. Là, en fonction de son rang hiérarchique et de son degré d'intimité avec l'hôte des lieux, on le conduira soit vers le salon meublé de deux canapés en cuir quelque peu élimés, soit vers l'escalier qui mène tout droit au bureau du directeur général. Pour ce visiteur ivoirien, ce sera le salon.

Le siège de la DGSE n'est pas un passage obligé pour le conseiller d'Alassane Ouattara, c'est le but principal de son déplacement à Paris. Proche alliée de la France, qui maintient plusieurs centaines de soldats sur la base attenante à l'aéroport d'Abidjan, la Côte d'Ivoire est dans le viseur des djihadistes de la bande saharo-sahélienne. L'attaque sans précédent qui a fait 19 morts, en mars 2016, sur la plage touristique de Grand-Bassam, à quelques dizaines de kilomètres d'Abidjan, l'a prouvé[1]. Face à cette menace, la coopération avec les services de « pays frères » est plus que précieuse, elle est vitale.

Dès le lendemain de l'attentat, des agents étrangers étaient à pied d'œuvre sur le terrain, aux côtés de leurs homologues locaux. Avec la bénédiction du chef de l'État ivoirien : « Ouvrez grand les portes, accueillez tous ceux qui veulent nous aider, on a le même adversaire sans visage qu'eux et nous n'avons rien à cacher », lance le président Ouattara à ses conseillers, rapporte l'un d'entre eux[2]. « L'enquête a rapidement progressé avec l'aide des Français, mais aussi des Américains et des Marocains », poursuit le conseiller. Ces derniers sont de plus en plus actifs en Afrique de l'Ouest. « Après Grand-Bassam, Rabat a envoyé une douzaine d'agents chez nous, ils ont enquêté durant plusieurs semaines », raconte notre source. Pourquoi une telle implication ? « Le Maroc a des intérêts économiques croissants en Côte d'Ivoire, et le royaume chérifien veut sans doute

---

1. En mars 2018, les autorités ivoiriennes ont indiqué, sans donner plus de précisions, que le commanditaire de cet attentat avait été arrêté et serait détenu au Mali, d'où provenaient les terroristes.
2. Entretien avec l'auteur, Paris, 16 avril 2017.

anticiper la menace terroriste sur son propre territoire », confie notre interlocuteur.

Le président ivoirien est convaincu de la nécessité de
renforcer la coopération avec les « services amis », notamment avec les Marocains, dont la réputation n'est
plus à faire sur le continent. « Ils ont beaucoup in-
vesti dans les sources humaines, souligne encore le
conseiller ivoirien. Rappelez-vous : après les attentats
de Paris, en novembre 2015, ce sont eux qui, les premiers, ont retracé le parcours de Salah Abdeslam. » De
la même manière, on les dit très informés sur l'État
islamique au Levant. Et notre espion de citer cette
boutade qui circule dans la galaxie du renseignement :
« Trois mille Marocains sont partis grossir les rangs
de Daech… dont mille cinq cents agents infiltrés. »

Ce jour-là, à Paris, ce conseiller aura cherché à
attirer l'attention de son interlocuteur français, le directeur général de la DGSE, sur ce qu'il appelle la
« menace peule ». Depuis des mois, cette communauté d'éleveurs nomades est en effervescence dans
le Centre du Mali, où des heurts éclatent fréquemment avec des milices touarègues. D'après les services de renseignement locaux, certains jeunes de la
communauté peule, excédés, n'hésiteraient plus à rallier des groupes djihadistes. Or, les Peuls sont présents dans de nombreux pays d'Afrique de l'Ouest,
dont la Côte d'Ivoire. « Je crois que le message est
bien passé, confie l'Ivoirien. Les services occidentaux
ont tendance à sous-estimer ce danger. »

En retour, le conseiller de Ouattara aura été briefé
par des responsables du secteur « N » (le secteur

Afrique de la DGSE) sur les dernières évolutions sécuritaires dans la région dont dispose la « Boîte » grâce à ses propres capteurs. Dans le monde du renseignement, il faut partager pour entretenir de bonnes relations, mais on ne se dit jamais tout. Même entre services cousins, on protège ses sources, pour éviter de possibles fuites. « Certains à Abidjan sont réticents à l'idée de coopérer aussi étroitement avec les Français, auxquels ils reprochent de communiquer juste assez pour obtenir ce dont ils ont besoin de notre côté », confie ce haut responsable ivoirien. Les mêmes vont jusqu'à dénoncer une forme de « néo-colonialisme ». Mais, visiblement, le président Ouattara n'en a cure.

La DGSE travaille sur tous les sujets, y compris sur les plus sulfureux, comme ces rumeurs persistantes sur le haut niveau de corruption qui régnerait au sommet de l'État à Abidjan. Par exemple, la gestion considérée comme opaque de la rente pétrolière. Le genre de dossier qui fâche et qu'on garde pour soi. Encore que… Un ancien responsable de la DGSE affirme que, lors de ses entretiens avec les dirigeants de l'ex-pré carré français en Afrique, il n'hésitait pas à faire passer certains messages. « On explique, en termes choisis, que le Président devrait être plus attentif aux agissements de son fils, très impliqué dans la gestion des marchés d'armements[1]. » Un message apparemment reçu sans provoquer de hurlements d'indignation. « Nous ne sommes pas des diplomates, et nos interlocuteurs nous savent gré de leur dire ce que nous savons, des choses parfois embarrassantes, avec

---

1. Entretien avec l'auteur, Paris, 23 mars 2018.

une certaine franchise », assure notre interlocuteur. Quant à savoir s'ils en tiennent compte, c'est une tout autre affaire.

La suspicion manifestée par certains dans les allées du pouvoir à Abidjan n'est pas l'apanage de la Côte d'Ivoire. On la retrouve du côté du Niger, l'un des plus proches alliés de la France dans le Sahel. « Un colonel de l'armée se plaignait récemment devant moi que les Français ne donnaient pas grand-chose à leurs frères d'armes, juste du grain à moudre », rapporte un observateur nigérien bien informé[1]. Pour ce haut gradé de Niamey, si les Français coopéraient pleinement en mettant à disposition toutes les informations qu'ils recueillent grâce à leurs drones et à leurs moyens d'interception, certaines attaques terroristes contre les forces locales auraient même pu être déjouées. On ne prête qu'aux riches...

« On a toujours besoin d'un plus petit que soi »

L'échange s'impose, même s'il apparaît parfois déséquilibré. « Notre renseignement technique (interceptions, imagerie) intéresse beaucoup nos partenaires sur le continent, qui, de leur côté, ont le renseignement humain, cette connaissance intime de leur terrain, qui nous est précieuse », assure un ancien ponte du renseignement militaire français. Un autre ancien de la DGSE pointe toutefois le

---

1. Entretien avec l'auteur, Paris, 15 septembre 2017.

risque d'une instrumentalisation à des fins politiques. « Nous devons veiller à ce que les pouvoirs locaux ne cherchent pas, à travers nous, à régler leurs comptes avec leurs opposants[1]. »

Pour nombre d'États de la région, en effet, le renseignement reste souvent une affaire de politique intérieure. Du Bénin au Tchad, du Congo-Kinshasa ou Congo-Brazzaville, en passant par le Togo et le Gabon, il s'agit surtout d'assurer la pérennité du régime et de surveiller ses opposants, sur place et dans les pays voisins. À une nuance près : depuis quelques années, sous la pression des groupes djihadistes, les services des pays sahéliens ont réorienté une partie de leurs capteurs au service de la lutte antiterroriste.

À l'époque de la guerre froide, les dirigeants locaux savaient pouvoir compter sur Paris pour obtenir des informations concernant leurs adversaires exilés dans la capitale française. Un exemple parmi d'autres : celui de Laurent Gbagbo, le futur président de la Côte d'Ivoire, qui, dans les années 1980, s'était réfugié en France pour échapper à la vindicte du régime de Félix Houphouët-Boigny. À la demande pressante du « père de la nation » ivoirienne, il était suivi de près par les services français. Laurent Gbagbo avait d'ailleurs si peu confiance pour sa sécurité dans l'Hexagone que, lorsqu'il fut convoqué à la fin des années 1980 à l'ambassade ivoirienne à Paris afin de préparer son retour au pays, l'opposant en informa le journaliste de *Libération* Pierre Haski pour parer un éventuel coup fourré. Gbagbo regagna peu de temps après la Côte d'Ivoire sans encombre.

---

1. Entretien avec l'auteur, Paris, 7 juillet 2017.

Autre temps, autres mœurs ? « Il n'est pas question de demander à la DGSE ou à un autre service français de s'occuper de nos opposants politiques, clame un proche d'Alassane Ouattara[1]. Déjà que le Président est accusé par nos adversaires d'être une marionnette aux mains de Paris, nous ne voulons surtout pas nous exposer au risque d'être accusés de perpétuer la Françafrique ! » À Paris aussi, on assure que cette époque est révolue. Et pourtant.

Le journaliste nigérien Seidik Abba est loin de partager cet avis. Il se dit sûr d'avoir été espionné, au printemps 2016, par les services français, en l'occurrence par la DGSI, pour le compte du régime de Niamey[2]. À l'en croire, l'entourage de Mahamadou Issoufou aurait fort peu apprécié ses articles sur une question très sensible dans un pays qui a connu de nombreux coups d'État : celle du mécontentement de l'armée nigérienne, écartée des décisions prises par le chef de l'État concernant l'implantation sur le territoire national de bases militaires française et américaine.

« Il s'agit d'un échange de bons procédés : entre collègues, on se rend service, croit savoir ce journaliste nigérien. La surveillance des opposants, ou de personnes considérées comme telles, n'a pas disparu, elle est simplement devenue totalement informelle. » Notant qu'aucun démenti officiel n'a été opposé à *L'Express* relatant sa mésaventure[3], il

---

1. Entretien avec l'auteur, Paris, 16 avril 2017.
2. Entretien avec l'auteur, Paris, 15 septembre 2017.
3. Vincent Hugeux, « Seidik Abba : "Je suis surveillé par les services français pour le compte du Niger" », *L'Express*, 15 avril 2016.

conclut : « N'oublions pas que le chef de l'État du Niger est un ami personnel de François Hollande. »

À Niamey, le Président assume totalement son étroite coopération avec ses alliés étrangers. « Nos armées ne sont pas en état d'assurer de manière autonome la sécurité dans le Sahel, nous dit-il lors d'un passage à Paris[1]. Je suis surpris qu'on nous demande des comptes sur la présence de ces troupes étrangères, alors que les mêmes qui nous critiquent trouvent normale celle des Américains et des Français en Irak. »

Dans le cadre de l'opération *Barkhane*, la France a déployé plusieurs drones d'observation (achetés aux Américains) sur l'aéroport de Niamey. De leur côté, les Américains ont choisi la principale ville située dans le Centre du Niger, Agadez, pour y implanter une gigantesque base militaire d'où vont opérer leurs drones chargés de traquer les groupes djihadistes dans toute la zone. Elle leur permettra notamment d'observer de près ce qui se passe en Libye, un pays qu'ils scrutent particulièrement. Un épisode a fortement marqué les esprits à Washington : la mort de l'ambassadeur Christopher Stevens, tombé dans un traquenard à Benghazi, en septembre 2012.

Mais la technologie ne peut pas tout, comme l'a montré la mort de quatre soldats américains, tués en octobre 2017 lors d'une embuscade à la frontière entre le Niger et le Mali, dans la petite localité de Tongo Tongo, alors qu'ils pistaient un chef

---

1. Entretien avec l'auteur, Paris, 14 décembre 2017.

djihadiste local[1]. « Même les Américains ne se suf-
fisent pas à eux-mêmes, souligne le président du
Niger, Mahamadou Issoufou. Dans le renseignement humain, on a toujours besoin d'un plus petit que soi. »

Ce plus petit, il faut le cajoler, en prendre soin.
Selon un ancien cadre de la « Boîte » passé au privé,
la DGSE fournit ainsi aux services amis « des notes
d'analyse et du renseignement opérationnel[2] ». Mais
aussi du matériel, notamment pour les interceptions,
qui suppose l'envoi de personnels sur place pour assurer son bon fonctionnement. « Nous avons l'interdiction formelle d'évoquer ce sujet », confie un haut
cadre de Thales, contacté par nos soins. Outre les
considérations purement commerciales, ce dossier est
en effet classé « Confidentiel Défense ». Il s'agit de
ne pas révéler l'étendue de la coopération entre services amis, et peut-être aussi d'éviter des fuites intempestives sur l'existence de possibles « mouchards »
placés par le fournisseur au cœur du système vendu à
ses clients étrangers. Autrement dit, des micros et des
logiciels malveillants permettant d'espionner directement à la source… Un sujet tabou dont l'existence
est confirmée, à rebours, par cet ancien directeur
de la « Piscine » (autre surnom donné à la DGSE,
en raison de sa proximité géographique avec la piscine des Tourelles à Paris), qui confie « avoir averti

---

1. Rukmini Callimachi, Helene Cooper, Eric Schmitt, Alan
Blinder, Thomas Gibbons-Neff, « An endless war : Why four
US soldiers died in a remote african desert », *New York Times*,
18 février 2018.

2. Entretien avec l'auteur, Paris, 15 septembre 2017.

à plusieurs reprises des risques encourus par certains de nos alliés » qui songeaient à équiper leurs services de renseignement avec du matériel chinois[1].

Preuve de l'importance du volet coopération entre la DGSE et les services amis, la « Boîte » sait se montrer très disponible quand il s'agit de soutenir ceux qui en font la demande. Ainsi, au Mali, au lendemain de son élection à l'été 2013, le président Ibrahim Boubacar Keïta (dit IBK) demande à la France d'aider son pays à se doter d'un service de renseignement performant. Paris lui propose alors un plan ambitieux de formation et d'équipement. Tellement complet que, d'après une source bien informée, certains à Bamako s'inquiètent : cette future structure montée avec l'aide active des Français ne va-t-elle pas être totalement phagocytée par la DGSE ? « On a révisé notre proposition, revu le planning pour rassurer nos interlocuteurs mais, au final, on a abouti à ce qui avait été présenté initialement », raconte cette source, avec un sourire entendu[2].

Partie de poker menteur entre amis

Mais retrouvons notre haut responsable ivoirien qui a été reçu au siège de la DGSE, boulevard Mortier. Le voilà de retour à Abidjan, sur les bords de la lagune Ébrié. Il va immédiatement rendre compte de ses entretiens en France au préfet Vassiriki Traoré,

---

1. Entretien avec l'auteur, Paris, 23 mars 2018.
2. *Ibid.*

coordonnateur des services de renseignement à la présidence ivoirienne, dont le référent n'est autre que Téné Birahima Ouattara, plus connu localement sous le nom de « Photocopie » tant il ressemble à son président de frère. Mais à sa descente de l'avion d'Air France sur l'aéroport international Houphouët-Boigny, notre conseiller aurait tout aussi bien pu briefer directement le chef de l'État tant les deux hommes se connaissent bien. Le Président considère comme son fils ce brillant conseiller né au sein de l'une des grandes familles du Nord de la Côte d'Ivoire, soutien de toujours d'Alassane Ouattara.

Ce quadragénaire a en effet grandi aux côtés du dirigeant ivoirien, il l'a suivi dans la clandestinité après le coup d'État raté contre Laurent Gbagbo en septembre 2002 ; il a connu auprès de lui et de son épouse, Dominique, les longues semaines d'enfermement à l'hôtel du Golfe après l'élection contestée de la fin 2010. Et il était à ses côtés, aussi, lors du dénouement final, en avril 2011, quand l'armée française a permis de déloger Laurent Gbagbo (expédié peu après dans les geôles de la Cour pénale internationale de La Haye, aux Pays-Bas). Il était là lors de l'intronisation en grande pompe du nouveau président, quelques semaines plus tard, à Yamoussoukro. Ces liens forgés au fil des années et des épreuves sont le ciment d'une symbiose parfaite entre eux. Et sans doute le critère principal qui a prévalu lorsqu'il a fallu choisir des hommes de confiance pour réorganiser des services de renseignement.

Dans ce domaine, la Côte d'Ivoire n'a rien inventé. Sur le continent, ce sont le plus souvent des parents ou des personnalités du premier cercle qui « gèrent » les services. Des personnages clés du pouvoir avec lesquels la DGSE veille à entretenir les meilleures relations possibles. Car quand l'ambiance deviendra fraîche, voire glaciale, sur le plan politique, seule leur porte restera entrouverte. Le Gabon d'Ali Bongo et le Congo de Denis Sassou-Nguesso, notamment, font partie de ce qu'un ancien hiérarque du Quai d'Orsay appelle le « domaine réservé de l'Élysée... et de la DGSE[1] ».

Au Gabon, la « Boîte » traite notamment avec Frédéric Bongo, le demi-frère du président Ali Bongo. « Une tête brûlée », selon un haut responsable français du renseignement, qui précise : « Il est un peu impulsif, mais nous avons de bonnes relations avec lui et on sait qu'on peut compter sur lui. » Formé à Saint-Cyr, titulaire d'une maîtrise de sociologie, grand fan du PSG et adepte des sports de combat, Frédéric Bongo est le directeur général des services spéciaux au Gabon. Un poste clé, alors que le pays est profondément divisé depuis la présidentielle violemment contestée d'août 2016 entre les partisans du président Ali Bongo et ceux de son adversaire, Jean Ping. Paris a d'autant plus besoin de Frédéric Bongo que l'ancienne puissance coloniale a perdu en influence au sein du Palais du bord de mer.

---

1. Entretien avec l'auteur, 7 juin 2017.

Après son accession contestée au pouvoir, à l'été 2009, Ali Bongo a entrepris de diversifier ses partenaires en matière de sécurité. Autrefois verrouillée par les Français, la garde présidentielle gabonaise est encadrée par des Marocains, des Israéliens, mais aussi des Sud-Coréens. Comme dans nombre de pays de l'ex-pré carré français en Afrique, ce sont des anciens du Mossad qui gèrent le centre chargé des interceptions, baptisé le Silam, en lieu et place des agents de la DGSE[1]. Les traditions se perdent. Pas tout à fait, cependant, puisqu'une mystérieuse correspondante des services français se rend quasiment chaque semaine au palais présidentiel de Libreville, pour échanger avec ses homologues des services locaux.

En bon espion qui se respecte, la « tête brûlée » Frédéric Bongo joue sur plusieurs tableaux : s'il entretient de bons contacts avec la DGSE, sa complicité amicale avec « Monsieur Alexandre », alias Alexandre Djouhri[2], est bien connue. Le « saint-cyrien » a également noué des liens avec un nouveau venu sur la scène africaine, Bernard Squarcini, l'ancien patron de la DGSI, dont le fils a trouvé un point de chute lucratif au Gabon dans la gestion des parcs naturels pour lutter contre le braconnage des éléphants. Mais, comme le confie un ex-chef du renseignement français, « au-delà de Frédéric Bongo, nous traitons avec des responsables moins visibles,

---

1. *La Lettre du Continent*, n° 729, mai 2016.
2. Simon Piel, Joan Tilouine, « Les réseaux africains de "Monsieur Alexandre" Djouhri », *Le Monde*, 10 janvier 2018.

mais tout aussi bien informés[1] ». On l'aura compris : dans ce jeu de poker menteur, chacun a plusieurs atouts cachés dans sa manche.

Depuis qu'il est revenu au pouvoir à Brazzaville en 1997 pour ne plus le lâcher, Denis Sassou-Nguesso veille lui aussi à entretenir de bonnes relations avec Paris. Il sait ce qu'il doit aux réseaux chiraquiens qui œuvrèrent avec succès à sa résurrection à l'issue d'une courte mais sanglante guerre civile contre les partisans de son prédécesseur et rival, Pascal Lissouba. À l'instar d'Idriss Déby, Sassou s'emploie à ménager les susceptibilités de Paris, en particulier dans les rangs des militaires et au sein de la DGSE. Il sait rendre service, par exemple en s'impliquant dans des conflits où la France a besoin de soutiens locaux – comme en Centrafrique – ou dans la mobilisation de Paris en faveur de la lutte contre le dérèglement climatique. Tout en demeurant sur ses gardes : « Sassou nous a récemment accusés de comploter contre lui en vue de le renverser », confie ainsi une source bien informée à Paris (comme nous le verrons au chapitre IV). Un homme averti en vaut deux.

Bien placé à ses côtés, à Brazzaville, l'homme de confiance des Français est connu sous le diminutif de « Jean-Do ». Il s'agit de Jean-Dominique Okemba. Visiteur assidu de Claude Guéant, secrétaire général de l'Élysée sous Nicolas Sarkozy, qui l'a décoré de la Légion d'honneur, « Jean-Do » est resté l'un des chouchous du Boulevard Mortier sous François

---

1. Entretien avec l'auteur, Paris, 23 mars 2018.

Hollande. L'homme est non seulement le réceptacle de toutes les informations confidentielles du régime, mais aussi – dit-on – le porteur des mallettes et, surtout, le « féticheur » du clan, celui qui est relation spirituelle avec les aînés disparus (disparus, mais jamais bien loin, et qu'il faut savoir ménager pour ne pas risquer de s'attirer leurs foudres). À Paris, Okemba est considéré comme le véritable numéro deux du régime, un successeur potentiel de Sassou, mais détesté par les autres neveux du Président. Gageons que le Boulevard Mortier n'a pas tout misé sur Jean-Do, en prenant bien soin de nouer des relations étroites avec d'autres dauphins putatifs…

L'axe Paris-Ouagadougou-Abidjan

Au-delà de toutes les avancées technologiques, le renseignement reste, encore et toujours, une affaire de personnes. Le cas du Burkina Faso est emblématique à cet égard. Sous le règne de l'ancien président Blaise Compaoré, au pouvoir à Ouagadougou de 1987 jusqu'à sa chute en octobre 2014, la France – et singulièrement la DGSE – a connu une période faste. Le galonné était toujours prêt à rendre service, et ce, jusqu'à sa fuite sous la pression de la rue. Son indéfectible loyauté envers Paris a-t-elle été scellée dans le sang lors de l'assassinat, en 1987, de son ancien compagnon de route Thomas Sankara, avec le silence complice de l'ex-puissance coloniale ? Lors de sa visite à Ouagadougou, en novembre 2017, le président Macron a promis d'ouvrir les archives françaises à ce sujet pour tordre le cou à tous les fantasmes. Mais la DGSE passera sans doute par là la première...

À la fin des années 2000, alors que la menace djihadiste prend de l'ampleur dans le Sahel et que les prises d'otages occidentaux se multiplient, la France se met en quête d'un lieu discret pour y installer un détachement de forces spéciales capable de réagir au plus vite en cas d'attaque ou d'enlèvement dans la région. C'est l'opération *Sabre*, restée secrète durant de longs mois avant que son existence ne finisse par fuiter dans la presse. « La Mauritanie était un peu trop excentrée ; avec le Niger nous avions des relations en dents de scie, et c'était encore bien plus compliqué avec le Mali, très méfiant, raconte un haut gradé, au cœur de ce dossier à l'époque[1]. Très vite, le Burkina Faso nous est apparu comme le pays idéal. Nous avions une excellente relation avec le président Compaoré, et surtout avec son chef d'état-major, Gilbert Diendéré. Celui-ci nous a trouvé l'endroit que nous recherchions. » Ce sera l'aéroport de Ouagadougou, dans une zone située à l'abri des regards.

Ah ! si la France n'avait pu avoir que des Gilbert Diendéré dans son jeu en Afrique... Aujourd'hui sous les verrous à Ouagadougou, accusé d'avoir voulu renverser en 2015 le nouveau pouvoir de Roch Marc Christian Kaboré, ce militaire charismatique fut sans doute l'homme le mieux informé du « Faso » pendant près de trente ans. Il était

---

1. Entretien avec l'auteur, Paris, 15 septembre 2017.

tout à la fois le chef de l'armée, celui des forces de sécurité et des services de renseignement. « Si trois pick-up Toyota suspects venaient à passer quelque part dans une zone reculée du pays, un berger prévenait aussitôt le chef du village, qui appelait le chef de canton, et tout cela finissait sur le portable de Diendéré. Il faisait tout ! », se souvient avec nostalgie l'ancien ambassadeur en poste dans la capitale, le général Emmanuel Beth, décédé depuis[1].

Diendéré – encore un ancien saint-cyrien, décoré de la Légion d'honneur à Paris en 2008 – est resté très proche des militaires français. Or c'est bien lui qui « tenait » le pays. Calme, méthodique, il surveillait notamment de près les milieux salafistes locaux, ménagés par le président Compaoré. « Dans les mosquées à Ouaga, Diendéré avait placé des gendarmes en civil pour savoir ce qui s'y disait », confie une source bien informée. Avec lui, les Français se montraient sereins. « Dans la nuit, se souvenait l'ambassadeur Beth, il pouvait nous appeler pour nous dire : "On a repéré une jeune Française qui circule dans une zone dangereuse, à la frontière avec le Mali, je vous la récupère ?" »

Mais cette osmose avait des limites, car le duo Diendéré-Compaoré a toujours protégé sa face cachée. Le « Beau Blaise » est ainsi soupçonné d'être impliqué dans les sanglantes guerres civiles qui ont déchiré la Sierra Leone et le Liberia, dans les années

---

1. Entretien avec l'auteur, 11 décembre 2017. Le général Beth est brutalement décédé en avril 2018.

1990, pour détourner à son profit une partie de la production locale de diamants. « Blaise Compaoré ne nous disait pas tout, il ne demandait pas notre autorisation pour mener telle ou telle opération qu'il jugeait utile pour lui ou son pays, explique un ancien du secteur "N" à la DGSE[1]. Ce n'est pas Paris qui l'a incité à soutenir la rébellion sanglante en Sierra Leone. » En décembre 2017, Emmanuel Beth ajoutait pour sa part : « Diendéré était un bon ami, mais il ne me disait pas le quart de la moitié de ce qu'il savait. Il cloisonnait, tout comme Blaise Compaoré. »

Au début des années 2000, dans la même veine, Paris assure être passé à côté des rebelles ivoiriens qui clamaient pourtant dans les boîtes de nuit de la capitale burkinabé qu'ils allaient chasser du pouvoir Laurent Gbagbo « l'usurpateur » et danseraient bientôt dans les clubs d'Abidjan. Originaires du Nord et victimes de purges à répétition au sein de l'armée ivoirienne, ces anciens sous-officiers voulaient installer au palais présidentiel leur champion, Alassane Ouattara. Installés à demeure à Ouagadougou, ils s'entraînaient activement et ne s'en cachaient pas. En septembre 2002, ils passent à l'attaque, mais manquent de peu leur objectif : ils sont repoussés de justesse par les forces de sécurité restées loyales à Gbagbo à Abidjan. Contenus ensuite par l'armée française déployée sur place, ils se replient dans la moitié septentrionale de la Côte d'Ivoire qu'ils contrôleront jusqu'à

---

1. Entretien avec l'auteur, 29 septembre 2017.

la résolution de la crise… neuf ans plus tard, au printemps 2011[1].

Que savait au juste la DGSE de ce projet de coup d'État contre Gbagbo ? L'armée française a-t-elle bloqué, dans un second temps, des rebelles auxquels les services de renseignement auraient délivré un « feu orange » en fermant les yeux et en se bouchant les oreilles ? « Il est possible qu'on n'ait rien vu venir, ou que la menace n'ait pas été prise au sérieux », répond prudemment l'ancien agent du secteur « N » alors en poste. Interrogé récemment lors d'une réunion d'experts à huis clos, l'un des anciens chefs de l'armée à l'époque ne dit pas autre chose : « Les services de renseignement, parce que c'est leur fonction, parce qu'ils ne veulent pas être pris en défaut, crient au loup toutes les semaines, tous les quinze jours, tous les mois. Quand j'étais en fonction, je ne me souviens pas d'une semaine sans qu'il y ait un cri d'alerte très fort quelque part. Et quand on crie au loup toute la journée, il se produit ce qui se passe dans la fable : personne n'y croit… On n'y croyait plus. »

Près d'une décennie plus tard, la DGSE reçoit l'ordre d'aider par tous les moyens Alassane Ouattara, déclaré vainqueur par l'ONU et l'Union africaine de la présidentielle de la fin 2010 en Côte d'Ivoire face à un Laurent Gbagbo qui rejette le verdict des urnes. Comme le raconte l'historien Jean-Christophe Notin, l'agence aide notamment le président élu à se doter d'un équipement audiovisuel

---

1. Thomas Hofnung, *La Crise ivoirienne*, Paris, La Découverte, 2011.

lui permettant de riposter à la propagande diffusée à longueur de journée par une télévision officielle aux ordres de Gbagbo[1]. Le matériel est acheminé, dans le plus grand secret, par la DGSE depuis le Burkina Faso voisin, *via* la ville de Bouaké, jusqu'à Abidjan. À l'issue de cinq mois de crise violente, et dans un dernier soubresaut sanglant, Gbagbo doit s'incliner. Au bout du compte, le « Beau Blaise », qui a soutenu les troupes rebelles de Guillaume Soro, équipées et entraînées au Burkina Faso – sans doute avec la complicité active de Paris –, est parvenu à ses fins.

On comprend mieux pourquoi, en octobre 2014, quand il doit fuir en catastrophe son pays, Blaise Compaoré prend la direction de la Côte d'Ivoire – à bord d'un hélicoptère des forces spéciales françaises –, où il vit depuis dans une villa cossue, sous la protection du président ivoirien Alassane Ouattara. Pour ses bons et loyaux services, le maître des lieux lui a octroyé la nationalité ivoirienne, afin de tenter de le mettre à l'abri des poursuites judiciaires.

Depuis le départ en exil en Côte d'Ivoire de Blaise Compaoré, suivi quelques mois plus tard par l'arrestation de Gilbert Diendéré, le Burkina Faso a été victime de plusieurs attaques terroristes, dont la dernière en date, en mars 2018, a visé l'état-major des armées et l'ambassade de France, faisant une trentaine de victimes. Certains observateurs, notamment à Paris, ont rapidement fait le lien. Heureusement pour l'ex-puissance coloniale, le nouveau pouvoir n'a

---

1. Jean-Christophe Notin, *Le Crocodile et le Scorpion*, Paris, Tallandier, 2014.

pas remis en question l'étroite coopération sécuritaire entre les deux pays. Les forces spéciales, qui traquent les djihadistes dans l'immensité désertique du Sahel, stationnent toujours sur l'aéroport de Ouagadougou.

« Le président Kaboré nous a demandé notre aide », se console-t-on Boulevard Mortier, après la mise hors jeu du duo Compaoré-Diendéré. En novembre dernier, le chef du tout nouveau Conseil national du renseignement, qui supervise la DGSE locale, l'Agence nationale de renseignement, François Ouedraogo, a tenu à participer au Forum pour la paix et la sécurité organisé à Dakar, en étroite coopération avec Paris. Les présidents passent, les espions restent.

Paris, aiguillon de la coopération Sud-Sud

Tout en conservant jalousement leurs petits secrets, les partenaires de la France sur le continent ont parfois du mal à se débarrasser de leurs vieux réflexes, mâtinés de méfiance vis-à-vis de leurs voisins et d'une tendance lourde à se tourner vers Paris en cas de problème.

Sous condition d'anonymat, cet ancien haut responsable du renseignement au Sénégal[1] confie : « Durant les cinq années où je suis resté en fonction aux côtés du Président, je n'ai pas eu un seul appel de mes homologues de la région, je ne les connaissais même pas physiquement. […] En cas de

_____

1. Entretien avec les auteurs, Dakar, 15 novembre 2017.

souci majeur, tout le monde s'adressait à la France. » Désormais à la retraite, il explique avoir essayé de développer la « coopération Sud-Sud » en matière de renseignement, sans grand résultat. « J'ai même fait quelques appels du pied à l'Afrique du Sud », dit-il.

En attendant que les murs de méfiance s'effondrent au sud de la Méditerranée, Paris tente de jouer les aiguillons pour renforcer la coopération en matière de renseignement dans la région. Cette posture s'explique aussi par le souci de réduire le coût budgétaire de sa présence militaire en Afrique. Dès 2007-2008, raconte une source française très au fait du dossier, la France met en œuvre le « Plan Sahel » : au titre de la formation, elle implante très discrètement des petites unités du Commandement des forces spéciales en Mauritanie (à Atar), au Niger (Niamey), au Tchad (Ndjamena) et au Mali (Mopti Sévaré, dans le Centre du pays). Ironie de l'histoire, en butte à la méfiance persistante des forces locales, le COS (Commandement des opérations spéciales) finira par quitter le Mali en 2011... pour mieux y revenir en force, début 2013, avec l'opération *Serval* lancée contre les groupes djihadistes locaux.

À la faveur de *Serval*, la Direction du renseignement militaire (DRM) s'emploie à favoriser le rapprochement de ses homologues dans les cinq pays de la région rassemblés au sein du « G5 Sahel » : Mauritanie, Mali, Burkina Faso, Niger et Tchad. À sa demande, le Sénégal est également associé à la démarche. Organisée à Paris en 2014, une première rencontre donne lieu à une bataille d'ego : « Le

Tchadien, un général rattaché directement au président Déby, prenait les autres de haut, de simples colonels, et voulait être logé dans une suite d'hôtel à Paris », raconte un responsable de la DRM[1]. Pour rompre la glace, les Français lancent une opération séduction : « On a communiqué aux participants des images satellites, fait un point de situation régional. »

Reste aux « locaux » à prendre la suite et à s'approprier le nouvel outil. Ce n'est pas gagné. Censée avoir lieu tous les six mois, la réunion du « G5 Sahel renseignement » sera organisée irrégulièrement chez les uns et chez les autres par la suite, essentiellement pour des raisons de logistique. De son côté, la DRM continue à alimenter la machine en organisant à Paris des stages de formation de quinze jours à trois semaines pour ses partenaires africains, où les participants se familiarisent avec l'analyse des photos satellites, des sons interceptés. Mais cet investissement n'est pas gagnant à tous les coups : « Parfois, le gars qu'on a formé disparaît du jour au lendemain : il a été muté ou il est parti dans le privé », note notre source, dissimulant mal sa frustration.

Un ancien cadre de la DGSE, aujourd'hui dans le privé, se montre quant à lui beaucoup plus sévère : « Cela fait plus de cinquante ans qu'on fait de la formation militaire sur le continent, et pour quel résultat ? En 2012, l'armée malienne s'est effondrée en quelques semaines… » Et aujourd'hui ? Faute de moyens, certaines unités à Bamako s'entraînent

---

1. *Ibid.*

sans munitions, sans carburant et sont accusées par l'ONU d'exactions contre les civils.

Alors que la menace terroriste reste à un niveau très élevé dans toute la région, Paris continue à consolider ses positions, notamment au Sénégal, l'un des meilleurs alliés des Français, où la coopération sécuritaire mise en place dès le lendemain de l'indépendance ne s'est jamais démentie. C'est un Français, Jean Collin, qui a « monté » la DGSE locale, à l'image de sa cousine française. « Les institutions sénégalaises ont été édifiées en miroir des nôtres (DGSE, police, gendarmerie, etc.), indique une source diplomatique à Dakar[1]. Ici, nous avons des interlocuteurs bien formés et fiables, qui font le boulot au lieu de surveiller les opposants. Dans cet État qui ignore les mutineries et les coups d'État, les forces de sécurité disposent de capacités pour cibler les activités terroristes et criminelles. »

Un ancien du renseignement sénégalais confirme : « Nous travaillons main dans la main avec les Français. Ils n'ont pas besoin de nous espionner. » D'autant qu'ils disposent toujours des capacités techniques dont les services locaux ont un besoin crucial et se montrent prêts à les partager, jusqu'à un certain point. Fin 2017, lors du Forum pour la paix et la sécurité à Dakar, le chef de la diplomatie Jean-Yves Le Drian a ainsi annoncé la création d'un centre régional de formation à la cybersécurité. Une façon de remercier l'allié sénégalais en consolidant son statut de « hub » sécuritaire dans la région.

----

1. Entretien avec l'auteur, 16 novembre 2017.

« Certes, les Français sont moins nombreux sur le terrain, note ce général sénégalais. Mais ils ont des conseillers bien placés au sein de nos forces armées, des unités de la police et de la gendarmerie, et des douanes. » Et il ajoute : « Ils ont des renseignements de première main... D'ailleurs, ils sont souvent informés avant nous sur ce qui se passe dans notre propre pays. »

Tout changer pour que rien ne change ? En lieu et place d'une Françafrique d'un autre âge, Paris cherche à préserver ses acquis en Afrique de l'Ouest en matière de renseignement par d'autres moyens, plus discrets, mais pas moins efficaces. L'intervention militaire déclenchée dans l'urgence au Mali, début 2013, a montré combien il était nécessaire de garder un œil attentif sur cette zone, grâce notamment à des alliés locaux, tels les Touareg.

CHAPITRE III

Nos amis les rebelles touareg

« Allô, comment vas-tu ?

– Bien, mais je ne peux pas te parler, là…

– Pourquoi, qu'est-ce qui se passe ?

– Rien, tout va bien, mais ceux qui m'ont passé ce téléphone m'ont dit qu'il ne fallait plus que je te parle… »

À la mi-2012, alors que la crise s'aggrave dangereusement au Mali, le message de l'un des principaux chefs de guerre touareg du Nord du pays est reçu cinq sur cinq par cet expert français qui avait pris l'habitude de le joindre pour savoir ce qui se tramait dans les sables du désert sahélien. Le contact sera rompu entre les deux hommes pendant de longs mois.

Avant le temps des soldats et de l'intervention militaire, ce sont les espions qui sont les rois du terrain. Au Mali comme dans les autres théâtres de crise. La France n'a pas attendu janvier 2013, et le déclenchement dans l'urgence de l'opération *Serval* au Mali par le président François Hollande, pour avancer ses pions dans le Sahel. C'est même l'une des raisons d'être d'un service comme la DGSE : anticiper les crises, collecter l'information et être prêt, le « jour J », à la fournir au gouvernement chargé de faire face à la tempête et de prendre les décisions « qui s'imposent ».

Au tournant des années 2000, sous la pression de l'armée d'Alger, certains groupes du GIA (appelés des « katibas », ou brigades) ont reflué du territoire algérien pour trouver refuge dans le Nord du Mali, où ils ont établi un nouveau sanctuaire. Pour se financer, les djihadistes se livrent au rapt d'Occidentaux, principalement au Niger et au Mali. La sécurisation du rallye Paris-Dakar qui traverse la zone devient alors un vrai casse-tête pour les services français, et une priorité. Peu à peu, la DGSE renforce ses équipes sur place : « Dès cette époque, nos services sont très bien informés sur ce qui se passe dans la bande saharo-sahélienne, souligne l'ex-diplomate Laurent Bigot (écarté de son poste en 2013 par Laurent Fabius). La situation dans cette zone donne lieu à une production de renseignement de bon niveau. La DGSE met beaucoup de moyens : en quelques années, tous les postes dans la région sont doublés[1]. »

C'est à cette même époque que la Mauritanie voisine devient une cible de choix : quatre touristes français y sont tués par un commando le 24 décembre 2007. Quelques jours plus tard, pour la première fois de son histoire, le rallye Paris-Dakar est

---

1. Entretien avec l'auteur, 4 octobre 2017.

annulé. Les services français ont présenté aux organisateurs une interception faisant état de menaces sérieuses d'attentat visant la course.

« Le Sahel est alors devenu une priorité pour nos services, explique un officier supérieur de l'état-major à Paris. Avant l'opération *Serval* (lancée début 2013), cela faisait des années que la DGSE surveillait untel ou untel. La "Boîte" pouvait quasiment savoir en temps réel quand le gars était enrhumé, ou de mauvaise humeur[1]. » Selon l'historien Jean-Christophe Notin, spécialiste des questions militaires et de renseignement, la DGSE s'emploie, dès cette époque, à traquer et à « neutraliser » sur place les djihadistes[2]. Et, pour ce faire, elle n'a pas forcément besoin d'envoyer ses agents sur le terrain.

Paris et le vieux rêve d'indépendance des Touareg

Pour tenter d'enrayer la menace qui croît dans la bande saharo-sahélienne, il y a certes les missions clandestines effectuées directement par les hommes et les femmes du service Action de la « Piscine ». Mais il y a aussi les alliés qu'on peut se ménager directement sur place, les « proxy ». Des proxy très précieux quand il s'agit de surveiller et d'agir en zone difficile d'accès, où il est compliqué de se fondre dans le paysage.

---

1. Entretien avec l'auteur, 13 septembre 2017.
2. Jean-Christophe Notin, *La Guerre de la France au Mali*, Paris, Tallandier, 2014.

« Quand le gouvernement nous demande de ne pas rester inertes face à une crise sans qu'on puisse déployer de troupes, on cherche une solution de moindre mal », confie le même haut gradé de l'état-major français. Et dans le Nord du Mali, fin 2011, quelques mois avant le début de l'opération *Serval*, la solution qui se dégage porte un nom : le MNLA (Mouvement national de libération de l'Azawad). Aux yeux de la DGSE, la France peut s'appuyer sur ce mouvement séparatiste touareg pour tenter d'affaiblir les groupes djihadistes qui montent en puissance dans la zone.

Le MNLA, ou l'éternel retour des mouvements rebelles touareg dans la région : tantôt autonomistes, tantôt indépendantistes, toujours en conflit avec le pouvoir lointain et jugé oppresseur de Bamako. Avant même l'indépendance proclamée en 1960, les « hommes bleus » du Mali se sont tournés vers la puissance coloniale française pour revendiquer un territoire indépendant. Peine perdue, le général de Gaulle ne voulut pas en entendre parler, et les Touareg locaux furent intégrés au sein des nouveaux États qui émergèrent alors dans la région (Mali, Niger, Algérie).

Mais le vieux rêve d'indépendance est demeuré bien vivace parmi les Touareg. Il se traduit par des vagues successives de rébellions armées au Mali et au Niger dans les années 1960, 1980, 1990 et jusqu'en 2011-2012. Et à chaque vague, son accord de paix, parrainé tantôt par l'Algérie, qui considère cette zone comme son arrière-cour, tantôt par la Libye de Mouammar Kadhafi, le défunt colonel qui se rêvait roi d'Afrique. Le tout avec, dans la coulisse, la présence discrète des services français, très bien câblés auprès des Touareg.

Dans les années 1990, la DGSE suit ainsi à la trace l'homme qui va populariser la cause romantique des « hommes bleus » du désert à Paris, Mano Dayak. Issu de la tribu des Ifoghas, répartie entre le Mali et le Niger, cet homme charismatique est proche des Français. Ancien étudiant en anthropologie à Paris, il a fondé une agence de voyages au Niger dans les années 1980, s'est impliqué dans l'organisation du Paris-Dakar aux côtés de son ami Thierry Sabine, avant de prendre les armes contre le pouvoir de Niamey au début des années 1990. Mais il décède brutalement, en 1995, dans le crash de l'avion affrété par un ancien journaliste de *Paris Match* et de *VSD*, très proche des services, Hubert Lassier. La thèse de l'accident est privilégiée.

À cette époque, et jusqu'à aujourd'hui, certains leaders touareg et leurs familles séjournent souvent à Paris. « Comme cela, les services les ont sous la main », décrypte un bon connaisseur de la galaxie des « hommes bleus »[1]. Dans ses Mémoires, l'ancien patron de la DGSE Claude Silberzahn évoque la livraison de matériel de communication aux rebelles touareg des années 1990, officiellement pour favoriser les discussions entre les parties au conflit et aider à la résolution de la crise.

Dans la bande saharo-sahélienne, le désir d'indépendance, alimenté par de vieux contentieux historiques entre peuples berbérophones et populations

---

1. Entretien avec l'auteur, 20 octobre 2017.

noires du Sud et par une pauvreté structurelle, ne s'éteint jamais. À la fin des années 2000, ce sont les Touareg du Niger, rassemblés au sein du MNJ (Mouvement des Nigériens pour la justice), qui prennent les armes, occasionnant de nouvelles tensions avec Paris. Le gouvernement nigérien se méfie de l'attitude qu'il juge ambivalente de l'ancienne puissance coloniale vis-à-vis des Touareg. De fait, si la France officielle soutient bien les régimes en place dans la région, donc celui de Niamey, ses services, eux, ont pour mission d'être en contact avec les Touareg. Pour savoir ce qu'ils trament... Mais pas seulement.

La France veille jalousement sur ses intérêts stratégiques au cœur du désert. Depuis la fin des années 1960, la Cogema (rebaptisée par la suite Areva) exploite des mines d'uranium au milieu du désert dans le Nord du Niger, à Arlit. Ce minerai, surnommé le *yellow cake* (en raison de sa couleur après un premier traitement sur place), alimente jusqu'à un tiers des centrales nucléaires d'EDF dans l'Hexagone, et les ogives de la force de dissuasion. « Les meilleurs connaisseurs de la zone et les mieux armés pour la surveiller, ce sont les Touareg, pointe le journaliste nigérien Seidik Abba. Si le minerai était exploité par exemple à Diffa (au sud, à la frontière avec le Nigeria), tout aurait sans doute été très différent pour les Touareg[1]. »

Ainsi, lorsque le MNJ prend les armes en 2007, le régime de Mamadou Tandja voit rouge : certains gardes de sécurité touareg des mines d'Arlit sont

---

1. Entretien avec l'auteur, 4 octobre 2017.

passés à la rébellion avec la caisse locale d'Areva, et Niamey suspecte une forme de soutien déguisé de Paris au MNJ. Dominique Pin, un ancien diplomate considéré comme proche des services par les autorités locales, reconverti en directeur général d'Areva au Niger, en fait les frais : il est expulsé sans ménagement par les autorités locales en juillet 2007, au moment même où le nouveau président français Nicolas Sarkozy effectue sa première visite sur le continent africain.

Peu à peu, le calme va revenir dans le Nord du Niger : le vieux galonné Mamadou Tandja, qui s'accrochait tant bien que mal au pouvoir à Niamey, est renversé en février 2010 par l'armée, pour la plus grande satisfaction de Paris. La junte qui a pris les rênes s'emploie alors à trouver un compromis avec les rebelles du MNJ afin qu'ils déposent les armes, avec l'aide de Mouammar Kadhafi. Des ex-rebelles du mouvement sont même intégrés au sein du gouvernement et le président élu après une courte période de transition, Mahamadou Issoufou, très proche des socialistes français, nomme un Premier ministre touareg.

Mais à peine éteint au Niger, l'incendie se rallume aussitôt au Mali voisin. Le Nord du pays est en effet en ébullition depuis le début de l'intervention occidentale en Libye, en mars 2011.

Feu orange pour les séparatistes touareg

À l'automne 2011, plusieurs centaines de Touareg, qui combattaient depuis des années dans les rangs de la « Légion islamique » créée par Kadhafi, ont quitté avec armes et bagages la vaste région du Fezzan, dans le Sud de la Libye, pour rejoindre leurs pays d'origine, le Mali et le Niger. Bamako est furieux : de hauts responsables de l'ancien gouvernement d'Amadou Toumani Touré (dit ATT), au pouvoir de 2002 à 2012, accusent (encore aujourd'hui) Paris d'avoir favorisé ce retour inopiné.

« Comment expliquez-vous que plusieurs centaines de personnes, solidement armées, avec des ambulances en queue de convoi, aient pu quitter le Sud de la Libye, et traverser sans encombre le Niger, pour rallier le Nord du Mali ? », s'insurgeait dès 2012 un ministre malien, de passage à Paris. « Le président ATT m'a montré dans son bureau des photos satellites fournies par les Américains où l'on voit nettement des colonnes de combattants touareg quitter le Sud de la Libye, assure l'un de ses proches[1]. Le chef de l'État malien m'a dit qu'ils avaient été accompagnés au sol par des commandos français, et escortés dans le ciel par des Rafale. » Prudent, il ajoute toutefois : « Mais on ne les voit pas sur les photos. »

Paris dément : « Nous n'étions absolument pas présents dans cette zone, explique un haut gradé français, qui officiait à l'époque au cœur de l'état-major des armées[2]. Toutes nos forces étaient concentrées contre celles de Kadhafi dans le nord, à Benghazi, à Misrata et sur le littoral méditer-

---

1. Entretien avec l'auteur, 10 janvier 2018.
2. Entretien avec l'auteur, 19 mars 2018.

ranéen. » Mais comment être sûr que les forces spéciales et/ou des agents de la DGSE n'aient pas été présents dans cette zone, au moins pour surveiller ce qui s'y passait, voire transmettre quelques messages ?

« Fin 2011, il y a eu un feu orange de Paris pour favoriser le retour des Touareg de Libye, croit savoir un bon connaisseur du dossier, très bien introduit sur place. On faisait ainsi d'une pierre deux coups : tout en affaiblissant Kadhafi, on renforçait les Touareg "laïcs" face à des groupes djihadistes alors en pleine montée en puissance[1]. »

Pour un diplomate français, interrogé à Paris début 2018, le président ATT aurait une part de responsabilité éminente dans toute cette affaire : « Contrairement au gouvernement voisin du Niger qui a les a désarmés dès leur arrivée sur son territoire, Bamako a laissé entrer tranquillement ces centaines de Touareg venus de Libye en espérant ainsi concurrencer et affaiblir le MNLA, tout juste créé. Il espérait jouer un clan contre un autre, mais son calcul s'est totalement retourné contre lui[2]. »

Déjà au pouvoir à l'époque, le président du Niger Mahamadou Issoufou nous livre sa version : « Il fallait provoquer des défections pour affaiblir Kadhafi, dit-il, sibyllin. Les Touareg sont tous partis avec leurs armes. Au Niger, on a été très vigilants, on leur a dit : "Si vous voulez rester, il faut désarmer, sinon on vous combat !" Mais au Mali, le président ATT les a fêtés, leur a donné de l'argent et

---

1. Entretien avec l'auteur, 10 janvier 2018.
2. Entretien avec l'auteur, 20 février 2018.

les a gardés armés. Or on ne peut pas avoir deux armées sur un même sol[1]. »

De fait, l'arrivée au Mali de ces ex-combattants touareg, placés sous l'autorité du colonel Mohamed Ag Najim, va doper les ardeurs indépendantistes de leurs frères du MNLA. Ces derniers, on l'a dit, revendiquent l'indépendance de l'Azawad – une vaste région qui, en réalité, déborde largement les limites du berceau géographique des Touareg dans la région, où ces derniers sont minoritaires sur le plan ethnique. Début 2012, alors que Bamako renforce ses garnisons dans la zone, les Touareg passent à l'offensive tous azimuts contre les troupes gouvernementales, leur infligeant une série de revers cuisants. En quelques semaines, c'est toute la partie septentrionale du Mali – soit les deux tiers du pays – qui passe sous le contrôle du MNLA, mais aussi sous celui des groupes islamistes armés. Ces derniers profitent en effet de l'aubaine pour descendre vers le Sud. Au printemps 2012, les « barbus » s'installent ainsi à Gao et Tombouctou, les deux principales villes de la zone, sur les bords du fleuve Niger. À Paris, certains responsables ne cachent plus leur exaspération, accusant la DGSE d'avoir joué avec le feu.

D'autant que la crise s'envenime. Dans la petite localité d'Aguel'hoc, début 2012, plusieurs dizaines de militaires maliens sont massacrés à l'arme blanche par les rebelles. Pointé du doigt par Bamako, le MNLA décline toute responsabilité, accusant les groupes djihadistes, avec qui il est

---

1. Entretien avec l'auteur, Paris, 14 décembre 2017.

pourtant lié sur le terrain. Le mal est fait. Pour une bonne partie de l'opinion malienne, la cause est entendue : les Touareg sont les responsables de ce carnage. Le choc est énorme au Mali et dans toute la région. Il provoque une nouvelle poussée de fièvre, cette fois à Bamako, où un groupe de sous-officiers dirigés par le capitaine Hamadou Sanogo chasse le général-président ATT du pouvoir, accusé d'avoir totalement échoué à défendre l'intégrité du pays.

Le Mali, présenté encore il y a peu comme un modèle de démocratie dans la région, n'est plus alors que l'ombre de lui-même. À Paris, l'alarme passe au rouge au plus haut niveau de l'État. Les groupes islamistes, qui imposent la charia à Gao et à Tombouctou, sont en mesure de transformer le Nord du Mali en sanctuaire terroriste, d'où ils pourront mener d'autres opérations de déstabilisation. Le Niger voisin (avec ses mines d'uranium) est menacé. Et demain la Côte d'Ivoire et le Sénégal, où résident plusieurs milliers de Français ?

Quelques jours après la prise des principales localités du Nord-Mali par les « terroristes », selon la terminologie en vigueur à Paris, les trois principaux chefs des mouvements djihadistes – Abou Zeïd, Iyad ag-Ghaly et Mokhtar Belmokhtar – sont localisés par les services français dans une villa à Tombouctou, où ils tiennent une réunion au sommet. Le chef d'état-major particulier du Président, le général Benoît Puga, fait remonter le renseignement jusqu'à Nicolas Sarkozy, l'informant qu'il est techniquement possible de lancer un raid aérien pour les éliminer. Mais, à quelques jours de l'élection présidentielle du printemps 2012, le chef de l'État juge l'opération trop risquée[1].

Dans un premier temps, les services français vont surtout s'employer à mettre en sécurité la poignée de Français pris au piège dans la zone en sollicitant l'aide des Touareg : « Les hommes du MNLA ont aidé à exfiltrer un cafetier français marié à une Camerounaise à Tombouctou, et aussi deux femmes qui s'étaient réfugiées dans le consulat d'Alger à Gao, nous confie un journaliste malien à Bamako, bien au fait de ce dossier[2]. Déguisées, elles ont pu être convoyées jusqu'à la frontière algérienne. »

À la même époque, un journaliste français travaillant pour une agence de presse parvient à se rendre clandestinement à Gao avec la complicité des Touareg du MNLA qui ont besoin de populariser leur cause, tout en marquant leur différence avec les djihadistes. Mais il est vite repéré par les services français. « Un jour, à ma grande surprise, j'ai reçu un appel sur mon téléphone portable local : au bout du fil, un fonctionnaire français m'enjoignant de quitter la zone au plus vite, nous racontait-il en 2012. Il m'a demandé de l'appeler sur une ligne sécurisée une fois que j'étais hors zone. » Pour la DGSE, qui traite le dossier des otages, il ne faudrait surtout pas que de nouveaux ressortissants français tombent aux mains des « islamistes », qui, depuis plusieurs années, ont mis en place une véritable industrie de

---

1. Isabelle Lasserre, Thierry Oberlé, *Notre guerre secrète au Mali*, Paris, Fayard, 2013.
2. Entretien avec l'auteur, 20 octobre 2017.

l'enlèvement leur permettant de financer leur montée en puissance grâce au paiement de rançons[1].

Au printemps 2012, les groupes djihadistes détiennent déjà les quatre Français enlevés au Niger, à Arlit, en septembre 2010, ainsi que deux autres (Philippe Verdon et Serge Lazarevic), capturés à Hombori, dans le Centre du Mali, en novembre 2011. La DGSE déploie des efforts importants pour tenter de les localiser et d'obtenir leur libération. Pour ce faire, le service français s'appuie sur des sources locales, une fois de plus des Touareg pour l'essentiel, comme on le verra plus loin.

Schizophrénie à la française au Mali

En janvier 2013, la France lance dans l'urgence l'opération *Serval* suite aux informations présentées par la DGSE, mais aussi aux renseignements en provenance de Niamey, où l'on entretient des liens étroits avec les réseaux touareg répartis des deux côtés de la frontière. À l'aide d'images satellites et d'informateurs sur place, les services français disent avoir repéré une concentration de forces djihadistes dans le Centre du pays, prêts à descendre vers le Sud. Selon certaines sources, la DGSE aurait également fait état de l'interception d'une communication dans laquelle l'un des principaux chefs djihadistes du Nord-Mali aurait promis

---

1. Serge Daniel, *AQMI, l'industrie de l'enlèvement*, Paris, Fayard, 2012.

à son interlocuteur que « demain, tous deux iraient prier » à la grande mosquée de Mopti, l'une des principales localités du Centre, sur le fleuve Niger. François Hollande donne le feu vert à l'intervention.

En ce début 2013, Paris nage en pleine schizophrénie : d'un côté, la France intervient militairement contre les groupes djihadistes pour – officiellement – permettre à Bamako de « recouvrer l'intégralité de son territoire » ; de l'autre, sur le terrain, elle passe un *deal* tacite avec certains groupes séparatistes touareg, notamment à Kidal, le fief de la tribu des Ifoghas, situé dans le massif du même nom (l'Adrar des Ifoghas). Or là, contrairement au scénario mis en œuvre à Gao et Tombouctou en février 2013, aucun soldat de Bamako n'entre en ville dans le sillage de l'armée française quand elle reprend, sans tirer un coup de feu ou presque, le contrôle de la localité du Nord-Mali désertée préalablement par les djihadistes.

« On aurait bien voulu emmener avec nous des troupes maliennes, nous assure un ancien haut responsable de la Défense à Paris, mais personne à Bamako n'était prêt à monter sur Kidal, le gouvernement malien était alors très réticent[1]. » Il semble bien, en revanche, que Paris n'ait pas beaucoup mis la pression en ce sens : « Notre seul sujet, c'était d'éradiquer la menace terroriste, poursuit ce même haut responsable français. Or le MNLA ne menaçait pas la France et nous n'avions aucune raison de nous confronter à lui. » Et de rapporter les propos tenus à l'époque aux Touareg, qui, eux, s'étaient aussitôt engouffrés

---

1. Entretien avec l'auteur, 19 octobre 2017.

dans Kidal après le départ des djihadistes : « Nous n'avons rien contre vous, mais vous devez accepter l'autorité de Bamako. » Cinq ans plus tard, en 2018, rien n'a fondamentalement changé : les Touareg sont toujours les maîtres de Kidal, et une bonne partie de l'opinion malienne accuse Paris de double jeu.

La localité du « grand Nord » malien reste aujourd'hui un abcès de fixation, et pas qu'aux yeux de Bamako. « Tous les Africains sont déçus, nous déclare le président du Niger, Mahamadou Issoufou. L'objectif, c'était de restaurer l'État sur tout le territoire malien. Ce n'est pas encore fait à Kidal. Or si on laisse les revendications indépendantistes prospérer en Afrique, on crée les conditions d'une anarchie. Regardez ce qui se passe en Libye. On a mis en garde ceux qui sont intervenus militairement : "Ne faites pas ça, Kadhafi est un dictateur mais ce qui va arriver après sera encore pire que la dictature !" Ils ne nous ont pas écoutés. »

Pour Paris, en cette année 2013, il faut poursuivre la traque des djihadistes dans le nord du Mali tout en tentant d'obtenir la libération des otages français. « Notre partenaire malien nous a reproché d'avoir "remis en selle le MNLA", mais en réalité nous n'avons fait que nous appuyer sur certains de ses membres, rien de plus, confie un ex-pilier du cabinet de Jean-Yves Le Drian à la Défense. Leur connaissance approfondie de l'Adrar des Ifoghas nous a été très précieuse. »

Ce soutien tacite aux séparatistes touareg occasionne à la longue des tensions à Paris, avec la conseillère Afrique de François Hollande, Hélène Le Gal, très légitimiste vis-à-vis de Bamako, ainsi qu'avec le chef de la diplomatie française, Laurent Fabius, qui ne veut pas entendre parler du MNLA. Mais qui doit, à plusieurs reprises, mettre ses réticences de côté. Tiébilé Dramé, une figure de l'opposition malienne, un temps chargé d'arracher un accord entre toutes les parties pour que l'élection présidentielle se tienne aussi à Kidal à l'été 2013, se souvient : « On était arrivés au bout de la négociation, et il ne manquait plus que le paraphe du MNLA. J'ai dit à Laurent Fabius : "Vous les Français, vous les connaissez bien. Monsieur le ministre, il faut que vous leur parliez." Il a secoué la tête négativement, mais par la suite ils ont fait ce qu'il fallait, et le MNLA a signé[1]. » Et, quelques semaines plus tard, on a voté à Kidal, comme partout ailleurs au Mali.

Guerre de l'ombre

Le pas de deux de la France vis-à-vis des séparatistes touareg va se poursuivre. Le nouveau président du Mali, Ibrahim Boubacar Keïta, élu en août 2013, a beau évoquer publiquement son mécontentement face à l'attitude ambiguë de Paris vis-à-vis des séparatistes touareg de Kidal, les militaires de *Serval* et les services de renseignement continuent de s'appuyer sur un réseau d'informateurs, voire de « supplétifs », pour tenter d'empêcher les djihadistes de

---

1. Entretien avec l'auteur, 3 octobre 2017.

relever la tête. « Les Français avaient besoin des hommes du MNLA quand ils ont pris pied dans la zone pour avoir du renseignement et pour savoir qui était qui », souligne une source bien informée à Bamako. Dans la configuration qui prévaut dans le Nord du Mali, ces derniers jouent quant à eux une nouvelle carte en s'alliant ouvertement avec la puissance française. À leurs risques et périls.

Des brigades « antiterroristes » composées de combattants touareg voient ainsi le jour dans Kidal « libérée » de l'emprise djihadiste. Un homme, notamment, bien connu des Français, est à la pointe de ce nouveau combat, Iknan Ag Attaher, un ancien de l'armée malienne qui a fait défection pour rejoindre les rangs de la rébellion en 2012. Une guerre de l'ombre s'engage dans le Nord. Aiguillées par les renseignements obtenus par la DGSE, les forces spéciales françaises mènent des raids contre les petits groupes de djihadistes qui continuent d'écumer la région, leur infligeant des coups sévères, en particulier en 2014 et 2015.

Face à eux, les djihadistes cherchent à repérer et à éliminer tous ceux qui, de près ou de loin, sont considérés comme des « collabos » des Français. Les règlements de comptes se multiplient, et l'allié des Français, Iknan Ag Attaher, manque plusieurs fois de trouver la mort. Impossible de connaître précisément le bilan de cette bataille, mais entre raids antiterroristes et représailles opaques, les morts se comptent probablement par centaines depuis le début de l'intervention française au Mali en 2013.

Cette guerre de l'ombre attise aussi les tensions entre clans rivaux au sein de la nébuleuse touareg du Nord-Mali. Paris a finalement pris ses distances avec le MNLA, jugé peu sûr et miné par les querelles personnelles. Un homme, lui aussi bien connu des services français, Moussa Ag Acharatoumane, tente de tirer son épingle du jeu. Cette ancienne figure du MNLA, chargé un temps des relations extérieures du mouvement, voyage beaucoup dans la région, mais aussi à Paris, où on peut le croiser dans des colloques consacrés à la crise du Sahel. À la tête de son propre mouvement fondé fin 2016, le MSA (Mouvement pour le salut de l'Azawad), il entreprend de lutter contre les djihadistes dans la région de Ménaka, à proximité de la frontière avec le Niger, une zone gangrenée par l'insécurité et les infiltrations de groupes djihadistes. Acharatoumane cherche ainsi à se rendre indispensable aux yeux de la communauté internationale, alors que sur le terrain l'armée malienne est quasiment absente.

En juin 2017, des hommes d'un nouveau groupe terroriste, l'État islamique du Grand Sahara, attaquent un poste de l'armée nigérienne. Celle-ci riposte, avec l'aide de l'armée française, poussant les assaillants à tenter de trouver refuge de l'autre côté de la frontière, au Mali, où ils sont pris à revers par le MSA et par une autre milice touarègue, le Gatia, dirigé par le général Gamou, un ancien officier touareg de l'armée malienne. Officiellement, cette opération menée conjointement par des armées régulières (nigérienne et française) et par des milices locales est un franc succès.

Début 2018, le MSA et le Groupe d'autodéfense touareg Imghad et alliés (Gatia), deux groupes armés signataires de l'accord de paix avec Bamako en juin 2015, participent, aux côtés des soldats français de l'opération *Barkhane*, à une opération de ratissage dans la région de Gao. Selon la presse de Bamako, plusieurs « terroristes » sont tués, des véhicules et de l'armement saisis. Mais elle s'étonne : pourquoi l'armée malienne n'a-t-elle pas été associée à ce raid ?

Pour mener la lutte contre les groupes djihadistes, Acharatoumane dispose de dizaines de pick-up, de fûts d'essence et d'armes. Mais d'où proviennent ces équipements ? Sur place, un médiateur local remarque : « Acharatoumane a ses entrées en France, où il s'est rendu au printemps 2017. Il est également soutenu par le Niger, qui lui donne des armes et lui fournit la logistique[1]. » Or le Niger de Mahamadou Issoufou est l'un des alliés les plus sûrs de Paris dans la zone saharo-sahélienne, auquel il peut sous-traiter sur le terrain quelques dossiers sensibles, tout en lui fournissant un soutien militaire robuste.

Mais la nébuleuse touarègue est tout sauf un bloc monolithique. En s'appuyant sur certains clans, la France attise la jalousie de ceux qui se sentent délaissés et qui aimeraient bien, eux aussi, toucher les dividendes de la lutte antiterroriste, en bénéficiant d'un soutien politique et militaire. Elle prend également le risque d'être associée aux « dommages collatéraux » causés par ces milices anti-djihadistes dont

---

1. Entretien avec l'auteur, 14 novembre 2017.

les agissements provoquent de forts remous, notamment au sein des éleveurs peuls, très présents dans le Centre du Mali, et dont certains membres n'hésitent plus, en représailles, à faire cause commune avec les « terroristes ».

Mais dans le Sahel, l'ennemi public numéro un pour Paris s'appelle Iyad ag-Ghaly. Ancienne figure de la rébellion touarègue des années 1990, marginalisé avant l'opération *Serval* de 2013 par les séparatistes du MNLA, il a fondé le mouvement Ansar Dine, allié des groupes djihadistes, et occupe une place centrale sur l'échiquier local depuis l'intervention militaire française : Touareg, islamiste, proche des Algériens, peut-être même protégé par eux – c'est du moins la conviction de nombreux responsables à Paris –, c'est lui qui a su fédérer les différents groupes terroristes au sein du GSIM (Groupe de soutien à l'islam et aux musulmans), lancé en mars 2017, et qui inflige des coups sévères aux armées menant la lutte contre les djihadistes. Le GSIM a ainsi revendiqué la mort de deux soldats français tués par l'explosion d'une mine dans le Nord du Mali, le 21 février 2018, ainsi que les attaques sanglantes contre l'état-major de l'armée et l'ambassade de France à Ouagadougou, le 2 mars 2018. Dans le Sahel, et notamment au Mali, la France n'a pas que des amis parmi les Touareg.

Plus au sud, à Bamako, comme dans d'autres capitales du continent, c'est avec un autre type d'« amis » qu'il lui faut composer : les Corses d'Afrique, toujours actifs dans l'entourage de quelques présidents de l'ex-pré carré francophone.

CHAPITRE IV

Nos « honorables correspondants » corses

« Là, juste là, devant ce café, je monte dans la voiture à côté de Michel Tomi. Il est handicapé, il ne pouvait descendre pour me rejoindre à l'intérieur. Évidemment, ils en ont profité : ils étaient plusieurs à nous photographier. Tomi voulait savoir si je connaissais une société qui pouvait assurer la formation de la sécurité présidentielle de son ami, le président malien Ibrahim Boubacar Keïta. Je lui ai conseillé de s'adresser à Gallice Security. Voilà, c'est tout[1]. » Ancien patron de la DGSI sous la présidence de Nicolas Sarkozy, Bernard Squarcini en a l'intime conviction : c'est l'équipe de Manuel Valls qui, dès son arrivée au ministère de l'Intérieur en

---

1. Entretien avec l'auteur, jeudi 29 mars 2018. Le juge d'instruction du pôle financier Serge Tournaire a donné son accord, le 28 septembre, pour conclure la procédure qui visait l'homme d'affaires corse, Michel Tomi, par une « comparution sur reconnaissance préalable de culpabilité » (CRPC). Une variante du plaider-coupable à l'anglo-saxonne, qui revient à négocier une peine allégée avec l'accusé, et l'absence de procès, en échange d'une reconnaissance de sa culpabilité.

mai 2012, a voulu « se payer » les Corses d'Afrique. D'où les policiers-photographes...

Assis dans le coin le plus stratégique de cette brasserie de l'avenue Montaigne – là où l'on voit qui entre et qui sort –, Bernard Squarcini ne cache pas, ce 28 mars 2018, être entré en guérilla contre l'ancien Premier ministre socialiste. Déjà très proche de personnalités africaines de la nouvelle génération, à l'instar du ministre ivoirien de la Défense, Hamed Bakayoko, Manuel Valls a-t-il vraiment eu l'intention de monter ses propres réseaux en Afrique avec le soutien de son ancien conseiller mauritanien Ibrahima Diawadoh N'Jim et du criminologue Alain Bauer ? Ancien grand maître du Grand Orient de France – la franc-maçonnerie est reine sur ce continent –, Bauer réagit vivement à ce soupçon : « Je ne mets plus les pieds en Afrique subsaharienne ! Tout est compliqué. Trop de corruption[1]. » On sent le spécialiste de sécurité et de terrorisme sur ses gardes, inquiet, mal à l'aise.

Aujourd'hui dans les tuyaux du temps long judiciaire, « l'opération Minotaure » lancée au printemps 2013 par Manuel Valls contre Michel Tomi, le roi des jeux en Afrique (casinos, PMU, bandits manchots...), est une bombe à fragmentation dans le village franco-africain[2]. Chacun a dû choisir son

---

1. Entretien le 21 mars 2018 avec l'auteur. Alain Bauer venait de fêter au restaurant Drouant la sortie de son dernier livre *Les Guetteurs* (avec Marie-Christine Dupuis-Danon, *Les Guetteurs*, Paris, Odile Jacob, 2018) avec la plupart des patrons du renseignement français qui avaient accepté de témoigner.

2. Olivia Recasens, Didier Hassoux, Christophe Labbé, *Bienvenue Place Beauvau*, Paris, Robert Laffont, 2017.

camp. En France ou en Afrique ! Affaibli en France, Bernard Squarcini a choisi l'« AfricaFrance », en mettant son impressionnant carnet d'adresses dans les milieux sécuritaires à la disposition de chefs d'État africains. Les meilleurs « clients » ne sont-ils pas ceux qui sont les plus inquiets des changements politiques à Paris ? Surnommé le « Squale », l'ancien maître espion est lui-même devenu très proche du président congolais Denis Sassou-Nguesso. Comme preuve de sa loyauté, Squarcini lui a livré les noms de Français qui auraient préparé une tentative de coup d'État à Brazzaville au profit du général Jean-Marie Michel Mokoko, un saint-cyrien longtemps bien vu par la DGSE. Mokoko a été condamné le 11 mai 2018 à vingt ans de prison pour « atteinte à la sécurité intérieure de l'État ». Il s'était présenté le 20 mars 2016 à l'élection présidentielle contre Denis Sassou-Nguesso et avait refusé de reconnaître sa défaite. Les soutiens de Mokoko sont effectivement tous des anciens ou des proches des services français. Contactés, ils se défendent de tout acte de barbouzerie, et affirment ne fréquenter et soutenir que les opposants africains démocrates qui entendent accéder au pouvoir par les urnes, pas par les armes.

Une affaire franco-française qui bouleverse les stratégies traditionnelles des services secrets français en Afrique. Comme on le verra, la DGSE ménageait jusqu'à présent les Corses en Afrique, en particulier ceux des casinos. Ne sont-ils pas de précieux informateurs qui vivent en osmose avec les dirigeants et les milieux d'affaires africains ? Elle protégeait également les chefs d'État de la région, au nom des intérêts stratégiques de la France. L'un de ces « présidents chouchous » est justement Denis Sassou-Nguesso[1]. Déstabilisé par les révélations de Bernard Squarcini, Sassou n'a pu être rassuré de l'attitude de la France à son égard que par la visite d'un haut responsable de la DGSE à Brazzaville. Ce dernier confie : « Grâce à des contacts directs, on a vraiment évité le pire pour Mokoko. Denis Sassou-Nguesso croyait vraiment qu'on voulait le renverser[2]. ».

Le président congolais a tout de même demandé à l'ancien patron de la DGSI de lui trouver un professionnel pour sa garde rapprochée. Aussitôt dit, aussitôt fait. Si Bernard Squarcini se sent désormais chez lui à Oyo, dans le fief du président congolais, c'est devenu plus compliqué pour lui en France. Quand l'ancien maître espion de la DGSI rentre du Congo, le 6 avril 2016, dans un jet privé affrété pour lui par Denis Sassou-Nguesso, il est très attendu à l'aéroport du Bourget. Ses bagages sont passés au peigne fin ! Dans la foulée, son appartement et ses bureaux sont perquisitionnés par des policiers de l'Office central de lutte contre la corruption et les infractions financières et fiscales. À l'issue de ces perquisitions, deux enquêtes ont été ouvertes par le parquet de Paris : l'une pour recel de « violation du secret professionnel », l'autre pour « compromission du Secret Défense », après la découverte de rapports classés.

---

1. Voir chapitre premier : « Nos présidents chouchous. »
2. Voir chapitre II : « Nos cousins des DGSE africaines. »

Les enquêteurs cherchent à déterminer si Bernard Squarcini a usé de ses contacts dans la police pour servir les intérêts des entreprises avec lesquelles il était sous contrat.

Un drapeau de la DGSI flotte sur Libreville

Mais la guerre de l'ombre entre services avait commencé beaucoup plus tôt. Dès sa prise de fonction au ministère de l'Intérieur, en mai 2012, Manuel Valls avait tenté de muter dans un autre service Jean-Charles Lamonica, nommé par Bernard Squarcini à Libreville, au Gabon, au titre de la DGSI. Pour Squarcini, c'était un « poste zonal » qui devait couvrir non seulement l'Afrique centrale, mais aussi l'Afrique de l'Ouest. « En Afrique centrale, poursuit-il, Lamonica s'appuie sur les Corses qui ont le renseignement opérationnel : ils savent ceux qui ont de l'argent et fréquentent les casinos, et qui est avec qui[1]. »

Manuel Valls mit plus d'un an à sortir Jean-Charles Lamonica de la DGSI pour le nommer à un poste de la Direction de la coopération internationale de la police en Égypte. Un jour, un conseiller de Manuel Valls qui passe au Caire sans connaître Jean-Charles Lamonica lui lance : « Toi, tu es bien, tu n'es pas comme le gars qu'on a viré au Gabon. » Lamonica répond : « Mais c'est moi qui étais au Gabon... »

---

1. Entretien avec l'auteur, 29 mars 2018.

Jusqu'à l'implantation de la DGSI en Afrique sub-saharienne par Bernard Squarcini, les rapports de police n'étaient pas tendres avec les Corses, et encore moins avec la DGSE soupçonnée de les protéger. La méfiance des policiers à l'égard du service extérieur français transpire, sans précaution excessive, du rapport du commissaire divisionnaire Paul Leray, ancien patron de l'Office central pour la répression du banditisme[1]. Ce rapport de vingt-sept pages retrace, depuis les années 1970, l'activité du milieu corse. À la date du 20 septembre 1999, il est mentionné au sujet de deux personnalités corses très influentes dans les palais africains : « Ces individus sont très appuyés par des autorités locales, très mobiles et utilisés par la DGSE. » De plus en plus agacés et virulents, les rédacteurs se font plus menaçants dans une note du 22 octobre 1999 : « La DGSE qui travaille avec nombre de ces voyous finira bien par comprendre avant d'avoir des ennuis. » Alors quelles sont les parts de réalité et de fantasme sur le degré d'influence et le niveau de renseignement des réseaux corses en Afrique ? Nous avons interrogé une personnalité qui n'était pas destinée à être l'un de leurs amis mais qui a mesuré leur puissance lorsqu'il gérait l'une des plus importantes compagnies françaises.

---

1. Ce rapport a été légitimé par le témoignage du juge Michel Debacq, ancien chef de la section anti-terroriste du Parquet de Paris en faveur du journaliste Pierre Péan poursuivi en diffamation par Toussaint Luciani. Jugement de la cour d'appel de Paris du 16 novembre 2017 (dossier n° 17/00018).

Elf en « Corsafrique » à tous les étages

Tout en ouvrant les palourdes de ses *spaghetti alle vongole*, l'homme à la barbe blanche et aux yeux bleus délavés n'hésite pas un quart de seconde, en cette belle journée de juin 2017, dans un restaurant italien de la place Saint-Sulpice. À la question : « Mais comment vous-même, à votre niveau de responsabilité, étiez renseigné ? », la réponse fuse : « Mais par les réseaux corses ! Rien ne pouvait se faire sans que ces gens-là ne soient au courant. Les autres sources officielles étaient en retard de plusieurs mois sur les Corses[1]. »

Loïk Le Floch-Prigent a été président d'Elf Aquitaine de 1989 à 1993, une société déjà surnommée « Elf Africaine » avant que l'affaire judiciaire Elf ne la noie en 1994 dans le groupe Total. Nommé par François Mitterrand à la tête de cette poule aux œufs d'or, Loïk Le Floch-Prigent nous raconte, avec l'évidence de la pratique quotidienne, comment les Corses d'Afrique ont été, pendant plusieurs décennies, l'alpha et l'oméga de la politique et du renseignement de la France en Afrique centrale pétrolière.

Pour bien comprendre, il faut toutefois se replacer dans la période particulière de la guerre froide. Après avoir perdu dans les années 1960 le pétrole et l'uranium de l'Algérie indépendante, le général de Gaulle crée la société Elf Aquitaine. Sa mission : assurer l'indépendance énergétique de la France en

---

1. Entretien avec les auteurs le 22 juin 2017.

pompant de nouvelles réserves pétrolières dans le golfe de Guinée, en particulier au Gabon et au Congo, avant de s'attaquer plus tard à celles du Nigéria et de l'Angola. Le Général, qui avait déjà utilisé, depuis Londres, les réseaux de la Résistance en Afrique pour libérer la France, confie ce mandat à des anciens du BCRA, les services secrets de la France libre. À la manœuvre : Jacques Foccart et Pierre Guillaumat. Ingénieur des Mines, Guillaumat était non seulement chargé de produire du pétrole, mais aussi de contrôler étroitement les pouvoirs africains de l'Afrique noire pétrolière. Plus question de perdre, en pleine guerre froide, la maîtrise des matières premières d'un pays comme le Gabon. D'où l'osmose au sein d'Elf entre pétrole, argent et services secrets. À tel point que les services de renseignement d'Elf finissent par cannibaliser les officiers du secteur Afrique du SDECE. Sur place, les meilleurs informateurs sont... les Corses, présents de longue date en Afrique subsaharienne.

À son arrivée, Loïk Le Floch-Prigent s'est mis au diapason. S'il voulait les vraies informations sur ce qui se passait autant dans la galaxie de pouvoirs des palais africains qu'à Paris, il fallait s'adresser aux Corses. Le Breton revendiqué a donc pris langue avec les Français insulaires les plus influents de sa propre entreprise. « J'avais deux sources, déroule Loïk Le Floch-Prigent : André Tarallo et Mathieu Valentini. Tout était oral. André Tarallo était informé par les frères Feliciaggi puis par Michel Tomi. D'ailleurs, après une fâcherie entre André

Tarallo et Charles Pasqua, j'ai mis Alfred Sirven dans la boucle. Pasqua se plaignait que Tarallo lui cachait des choses. Mais cette fâcherie n'a duré qu'un temps : Pasqua et Tarallo ont fini par se réconcilier. »

L'oralité, mère de tous les secrets en Afrique, Loïk Le Floch-Prigent la pratiquait lui-même sans modération dans la gestion quotidienne de la compagnie. Il démarrait souvent ses comités exécutifs par cet ordre impératif à ses directeurs : « N'écrivez rien ! Ce que je vais dire est important. »

Reprenons, dans l'ordre d'entrée en scène, l'influence des informateurs corses du scénariste Loïk Le Floch-Prigent. André Tarallo était le tout-puissant directeur Afrique d'Elf. Il avait un accès direct aux présidents africains, qui lui confiaient tous leurs soucis domestiques et financiers. À cette époque, l'argent liquide était transféré par le biais de la FIBA (Banque française intercontinentale), une banque qui avait été créée par Elf et la famille Bongo. Avenue George-V, l'agence parisienne de la FIBA – où les obligés du président gabonais venaient chercher l'argent frais mis à disposition – a été fermée après la perquisition, le 12 mars 2000, des juges Eva Joly et Laurence Vichnievsky, accompagnées des enquêteurs de la Brigade financière. C'était le *deal* : fermeture de la FIBA en échange du passage à l'ardoise magique des documents saisis, afin de ne pas mettre en cause la souveraineté du Gabon et de son très ombrageux président, Omar Bongo.

André Tarallo était l'homme le mieux informé sur les chefs d'États et les cercles du pouvoir du Gabon, du Congo, du Cameroun, puis, plus tard, de l'Angola. Afin que ses visiteurs sachent de quel « pays » – la Corse – ils foulaient le tapis en se rendant chez lui, il avait toujours un buste de Napoléon sur son bureau. Quant à l'ancien berger de la montagne corse, Mathieu Valentini, il était le courtier exclusif en assurances du groupe Elf. Il brassait environ 150 millions d'euros de contrats qui généraient près de 15 millions d'euros de commissions. Mathieu Valentini est mort d'une rupture d'anévrisme le 9 janvier 1991 au Caire, en Égypte. Tout l'état-major de la compagnie pétrolière s'est déplacé pour assister à l'enterrement de ce « coffre-fort à secrets » du groupe à Corte, en Haute-Corse.

Les frères Feliciaggi, Robert et Charles, sont nés au Congo-Brazzaville où leur père, fonctionnaire à l'époque coloniale, travaillait comme directeur des postes et télécommunications, tandis que leur mère était institutrice. Ils ont traîné sur les bancs de l'école avec les dirigeants congolais actuellement au pouvoir à Brazzaville, à l'instar du président Denis Sassou-Nguesso. Si Charles quitta le Congo pour monter des sociétés de pêche en Angola, Robert est devenu dans les années 1980 le passage obligé des hommes d'affaires pour entrer chez Denis, son ami président. Il ne s'en cachait pas. Au contraire, il était plutôt amer du manque de gratitude pour les services rendus : « Dans les années 1980, il n'y avait pas de contrat au Congo qu'une entreprise française, publique ou privée, n'ait obtenu sans nous. Tout le monde venait nous solliciter[1]. » Robert Feliciaggi gérait des casinos et la Cogelo, la Loterie nationale congolaise, avec des proches du chef de l'État. Au moment où il rêvait de rentrer en Corse pour entamer une carrière politique – il présidait déjà le groupe divers droite à l'Assemblée de Corse –, Robert Feliciaggi est abattu, le 12 mars 2006, de plusieurs balles de 38 Spécial dans la tempe et dans la nuque sur le parking de l'aéroport d'Ajaccio.

Alors ministre de l'Intérieur, Charles Pasqua, qui se présentait toujours au téléphone au président Omar Bongo comme « le Grand Batéké[2] des Hauts-de-Seine », facilitait les réseaux d'influence en France des présidents africains et la protection de ses co-religionnaires. Enfin, Alfred Sirven, embarqué par Loïk Le Floch-Prigent dans son aventure pétrolière, était le « juge de paix » entre les différents clans corses. De toutes ces personnalités aujourd'hui disparues, seuls demeurent Michel Tomi et ses proches au cœur des réseaux corses en Afrique.

Des PMU africains aux casaques d'or

Si Robert Feliciaggi était à l'origine incontournable au Congo-Brazzaville et dans les casinos de l'Afrique centrale pétrolière, Michel Tomi devint vite le roi des PMU africains. Une « super idée », initiée

---

1. Antoine Glaser, Stephen Smith, *Ces messieurs Afrique 2. Des réseaux aux lobbies*, Paris, Calmann-Lévy, 1997.

2. Batéké : « le peuple des Tékés », ethnie de la famille Bongo.

par Robert mais surmultipliée par Michel, d'abord en Afrique centrale puis en Afrique de l'Ouest : faire miser les Africains sur des chevaux courant à Vincennes, Chantilly ou Longchamp. Les Corses obtiennent les autorisations exclusives des ministres de l'Intérieur des pays africains concernés. Au début, le PMU français a fait la grimace. Ses dirigeants ont fini par faire contre mauvaise fortune bon cœur. D'autant que la fortune a finalement été en partie partagée par la création, au début des années 1990, d'un Grand Prix annuel de l'amitié France-Afrique.

Les Corses des PMU sont alors au faîte de leur pouvoir en Afrique. Ce Grand Prix les conforte un peu plus. Une fois par an, une course sur l'hippodrome de Vincennes est destinée aux parieurs africains des pays où est implanté le PMU. Chaque manifestation a une marraine, la première dame de l'un des pays. La veille de la course, un grand gala est organisé au Pavillon d'Armenonville, à la lisière du bois de Boulogne, avec une tombola dont les recettes sont réservées à la fondation de la première dame de l'année. Toutes les épouses des chefs d'État du pré carré africain de la France ont ainsi eu leur jour de gloire sur les champs de courses parisiens : Antoinette Sassou-Nguesso, Chantal Biya, Chantal Compaoré, Viviane Wade... En mai 2001, pour le gala de la Fondation Congo Assistance d'Antoinette Sassou-Nguesso, l'agence centrale de Natexis-Banques populaires, rue Montmartre à Paris, ressemblait à l'aérogare de Brazzaville. Des dizaines de Congolais attendaient au guichet pour empocher leurs gains. Certains VIP de ce pays sortaient de la banque avec des enveloppes à la main, siglées de la Cogelo, du groupe Feliciaggi. Tous avaient besoin de faire des emplettes pour se présenter en tenue de fête au Pavillon d'Armenonville. Cette année-là, les turfistes africains avaient encore battu des records : environ 240 millions d'euros de paris, plus que les subventions accordées par la coopération française[1].

L'organisation de ce Grand Prix à Paris avec les entourages des pouvoirs africains n'est pas anecdotique. Elle renforce l'influence des grands organisateurs corses, qui sont déjà en famille dans les palais africains où politique et affaires domestiques ne font qu'un.

Affaires domestiques et présidentielles

Et ce n'est pas de l'histoire ancienne. Le président malien Ibrahim Boubacar Keïta ne comprend toujours pas pourquoi son « ami » Michel Tomi a été mis en examen en France, le 20 juin 2014, pour entre autres « corruption d'agent public étranger ». Dans un entretien au *Monde Afrique*, IBK s'explique : « Sans vouloir jouer les innocents, je n'ai rien compris à cette affaire qui m'a sali et outragé, s'offusque le président malien. Je n'ai jamais conclu la moindre affaire avec Michel Tomi. Il n'est d'ailleurs pas mon ami, mais mon frère au sens africain et corse. Il m'a été présenté par feu le président gabonais, Omar Bongo Ondimba,

---

1. *La Lettre du Continent*, n° 372 du 17 mai 2001.

lors d'une visite au Mali en 1995. J'étais à l'époque le Premier ministre du président Alpha Oumar Konaré, qui m'a demandé d'aider Michel Tomi dans ses démarches d'ouverture d'un casino à Bamako. Je l'ai introduit auprès de la ministre du Tourisme d'alors. Il a rempli les conditions et a ouvert son casino. Je n'ai pas touché un centime, mais j'ai gagné un ami pour la vie. Quand il venait au Mali, il mangeait chez moi. Et je suis allé chez lui, en Corse. Je trouve scandaleux qu'on le considère comme un parrain qui me contrôlait ou me corrompait », s'insurge le président malien[1]. Les relations « familiales » de Michel Tomi avec les présidents Ibrahim Boubacar Keïta et Ali Bongo ont été révélées par une série d'écoutes téléphoniques en 2013 et 2014. Les conversations sont un mélange d'affaires domestiques (costumes, lunettes, médicaments, séjours sur un yacht…) et de projets financiers[2].

Au-delà de la nature de ses relations intimes avec IBK, l'influence de Michel Tomi dans le milieu des affaires au Mali est documentée. « Il n'y a pas un seul marché qui se fasse au Mali sans qu'il ne soit au courant », soupire un chef d'entreprise français qui tient à rester anonyme. Antony Couzian-Marchand, ancien commandant en second du GIGN et ex-magistrat à la Cour des comptes, ne cache pas le rôle joué par Michel Tomi. Grâce à ce dernier, son entreprise, Gallice Security, a obtenu le contrat de la sécurité présidentielle : « En 2014, IBK avait vraiment besoin

---

1. *Le Monde Afrique*, 22 février 2018.
2. Mediapart, 22 mai 2015.

d'une sécurité présidentielle. Bernard Squarcini, consultant, a servi d'apporteur d'affaires. IBK a appelé Ali Bongo pour savoir si l'on était fiable[1]. On a eu plus de dix rendez-vous avec Michel Tomi et le Président. On a déjeuné ensemble à plusieurs reprises. À un moment, Keïta a dit qu'il n'avait pas l'argent pour financer sa sécurité personnelle. C'est là que Tomi a dit qu'il allait payer les deux premières factures en attendant que le Président puisse le faire. La facture a été réglée par une société du PMU camerounais contrôlée par l'homme d'affaire corse[2]. »

L'ex-patron du GIGN, Frédéric Gallois, qui avait été mis en examen pour « faux et usage de faux » et « recel d'abus de confiance » pour ce contrat, a obtenu un non-lieu au mois d'octobre 2018, après cinq années de procédure. À l'inculpation de son dirigeant, Gallice Security affirmait déjà que l'enquête démontrerait que « les divers documents bancaires » étaient « parfaitement en règle » et qu'un tel montage financier avec un acteur privé extérieur « n'était pas illicite ». Au moment de la mise en examen de Frédéric Gallois, qui a depuis quitté le groupe pour prendre la direction de la sûreté d'Ortec (entreprise française de services à l'industrie, l'énergie, l'environnement et l'aéronautique), Gallice Security relevait également qu'« aucune contestation n'a été faite sur la réalité et le coût des prestations réalisées, ni aucun reproche sur les modalités d'obtention de ce

---

1. Voir chapitre v : « Nos anciens dans les sociétés privées de sécurité. »
2. Entretien avec les auteurs, 9 mai 2017.

contrat ». Ce groupe aurait-il pu obtenir ce contrat sans l'ami corse d'IBK ?

Le Club des « grands flics » de l'Alta Rocca corse

Est-ce qu'il y aurait « un gros racisme anti-corse », comme le déclarait Bernard Squarcini dans une interview à *Corse-Matin*[1] ? Ce n'est pas aux *Pinzutu* – qualificatif en Corse des Français du continent – de se prononcer[2]. En revanche, il y a sans aucun doute un vif agacement dans les milieux judiciaires face à l'*omertà* des Corses. L'un des plus anciens à gérer ce réseau insulaire dans la police et à organiser leurs agapes « au moins cinq fois par an », précise-t-il, est Charles Pellegrini, l'ancien patron de l'Office central pour la répression du banditisme[3]. Toujours en activité à plus de quatre-vingts ans dans ses bureaux du boulevard Exelmans, à la tête de sa société Charles Pellegrini Mediation, le policier écrivain, auteur d'une dizaine de polars, n'est pas prêt de déposer les armes. À ses côtés, son neveu Jean-François Rosso est déjà très actif au sein de Management & Private Protection, qui est, comme son « tonton », en contrat pour la

---

1. *Corse-Matin*, 26 mai 2014.
2. Le mot *pinzutu* désigne historiquement les soldats français venus mater les insulaires : ces militaires portaient des chapeaux pointus, en corse *pinzuti*.
3. Entretien avec l'auteur, 5 avril 2018.

protection des cadres du groupe LVMH de Bernard Arnault.

Longtemps présent en Algérie pour assurer la sécurité de sociétés françaises telles qu'Air France, Charles Pellegrini a accepté en 2013 un contrat d'État au Bénin qui va sans doute servir de trame à un futur roman d'espionnage : la surveillance jour et nuit à Paris de l'homme d'affaires Patrice Talon. Ce dernier est accusé par le président Thomas Boni Yayi d'avoir tenté de l'empoisonner. Le contenu de certaines ampoules que le chef de l'État devait absorber avait bien été remplacé par de la psilocybine (un hallucinogène), du sufentanil (un analgésique), de la kétamine (un anesthésique) et de l'atracurium (un agent entraînant un blocage neuromusculaire). Patrice Talon a toujours nié en être l'auteur et la justice béninoise a rendu un non-lieu dans cette affaire. Entre avril 2013 et fin janvier 2014, Charles Pellegrini et ses hommes ont ainsi pisté Patrice Talon dans tous ses rendez-vous parisiens, en particulier avec des opposants, mais aussi des députés béninois de la majorité présidentielle. Les photos prises à Paris par les hommes de Pellegrini de ces « traîtres » ont rendu fou Thomas Boni Yayi. Dix fois, il demandera, en vain, l'extradition de Patrice Talon. Cette lutte s'achèvera par la médiation d'Abdou Diouf, ancien secrétaire général de la Francophonie, puis le pardon – en trompe-l'œil – du Président début mai 2014. Le coup de grâce pour Boni Yayi – qui avait adoubé le franco-béninois Lionel Zinsou pour lui succéder – fut l'élection de Patrice Talon à la présidence de la République du Bénin, le 20 mars 2015. Charles Pellegrini, qui dispose de toutes les pièces du dossier, y compris des analyses en laboratoire du FBI, en rigole encore.

En Afrique, et tout particulièrement en Algérie, Charles Pellegrini a longtemps travaillé avec un autre Corse de son premier cercle : Pierre-Antoine Lorenzi, surnommé PAL. Cet ancien cadre de la DGSE a cédé en octobre 2015 au groupe Seris la société Amarante International qu'il avait créée en 2007. Même s'il vit aujourd'hui à Milan, après avoir été au cœur d'une polémique franco-française sur la libération des otages français au Niger, le 29 octobre 2013[1], Pierre-Antoine Lorenzi ne rate pas une soirée du Club des Corses organisée par Charles Pellegrini. Celle du 22 avril 2011 a failli être annulée à la dernière minute. Le « chef d'orchestre » de l'équipe avait réservé au restaurant 39V, avenue George-V, dans le VIIIe arrondissement de Paris. Mais quelques jours auparavant, Charles Pellegrini est victime d'un AVC. Très vite pris en main, il s'en sortira pour retrouver sa bande à la soirée du 22. Parmi eux, deux anciens patrons du RAID : Ange Mancini et Jean-Louis Fiamenghi. À plusieurs reprises en poste en Corse au sein de la police et de la préfecture, Ange Mancini, fils d'un maçon d'origine italienne, a été coordonnateur du renseignement à l'Élysée de février 2011 à juin 2013. Il a aujourd'hui les deux pieds en Afrique comme conseiller de Vincent Bolloré. Il a pris la suite de l'ancien ministre de la Coopération,

---

1. Voir chapitre ix : « Nos otages et nos réseaux rivaux. »

Michel Roussin. Dans son petit bureau de la tour Bolloré à Puteaux, Ange Mancini coupe court à tous les fantasmes. S'il est là, « ce n'est pas pour mon carnet d'adresses. Celui de Vincent Bolloré est dix fois plus important que le mien[1] ». Il est un vieux camarade. « On était toujours ensemble à la faculté de droit de Nanterre de 1969 à 1973. J'étais étudiant salarié », précise Ange Mancini, qui a ensuite pas mal fréquenté l'Afrique en tant qu'ancien chef du Service de coopération technique international de police.

Son collègue et ami Jean-Louis Fiamenghi a surtout connu de l'Afrique la Tunisie, pour la formation d'une Brigade antiterroriste et la sécurité du président Habib Bourguiba, et le Cameroun, où il a créé une unité chargée de la lutte contre le grand banditisme et le terrorisme : le Groupement spécial d'opérations. Il y a aussi les mauvais souvenirs à l'instar de l'affaire « Carrefour du développement », le détournement par des responsables socialistes d'une partie des fonds du sommet France-Afrique de Bujumbura au Burundi au mois de décembre 1984. Fiamenghi était chargé de former un RAID local pour assurer la sécurité des chefs d'État du sommet[2]. Aujourd'hui à la direction de la sécurité du groupe Veolia, il n'en pas fini avec les mystères de l'Afrique : Veolia, qui gérait une concession d'eau et d'électricité du Gabon, a été exproprié, du jour au lendemain, le 16 février 2018.

---

1. Entretien avec l'auteur, 23 mars 2018.
2. Entretien avec l'auteur, 7 décembre 2017.

Pierre-Antoine Lorenzi, Ange Mancini, Jean-Louis Fiamenghi, Jean-François Rosso... et, *last but not least*, Bernard Squarcini. Si tous les membres de ce club privé d'anciens policiers et d'hommes de renseignement ne sont pas tous originaires de l'île de Beauté, cette amitié tient autant à des parcours communs que croisés. En revanche, le vrai club de solidarité des policiers corses n'est pas plus au 39V de l'avenue George-V qu'au restaurant Villa Corse dans le XVe arrondissement de Paris, où Bernard Squarcini a ses habitudes. Ce club des « happy few » a ses racines dans le nord de l'Alta Rocca, terre des seigneurs de la Corse du Sud, à Quenza. Tous les 5 août, révèle l'un de ses membres qui aspire à l'anonymat, « on se retrouve, pas seulement entre Corses mais aussi avec d'autres grands flics amis. Et l'on revient toujours à se raconter nos aventures dans notre seconde patrie, l'Afrique ! ».

CHAPITRE V

Nos anciens dans les sociétés privées de sécurité

« Tout commence durant cette nuit du 31 août 2016, au QG de campagne du candidat Jean Ping, au rond-point Les Charbonnages à Libreville. À la suite de la proclamation des résultats du scrutin présidentiel à 16 heures, par le ministre de l'Intérieur Pacôme Moubelet, déclarant Ali Bongo vainqueur, des émeutes éclatent dans la quasi-totalité du Gabon, mais surtout à Libreville où nous nous trouvions », témoigne Jamel Nkebassani Missamou, alors responsable des opérations électorales du candidat de l'opposition, Jean Ping[1].

« Malgré cela, mon équipe et moi-même, installés au quatrième étage du QG, continuons à centraliser les résultats, à les vérifier et ensuite à numériser les procès-verbaux qui revenaient de l'intérieur du pays, poursuit l'informaticien. Nous n'avions à aucun moment envisagé que le lieu où nous étions allait subir une attaque aussi violente. Vers 21 h 15,

---

1. Entretien avec l'auteur. Paris, le 15 juillet 2017.

un nombre imposant de véhicules de la gendarmerie nationale et de la police assiège le QG et déblaie la voie principale en retirant les barricades qui obstruent le passage. À 23 h 15, le local est totalement assiégé, deux hélicoptères survolent le bâtiment et les véhicules de la police et de la gendarmerie cèdent la place à ceux de la garde républicaine. Des cris, des pleurs mais surtout des coups de feu résonnent dans la grande cour du bâtiment, le courant est coupé à l'extérieur et c'est à l'éclat des armes, telles des lucioles dans le noir, que nous voyons progresser ces hommes qui ne semblent reculer devant rien. Aux environs de minuit, deux autres convois de véhicules, cette fois-ci civils, arrivent sur les lieux. Ils transportent une vingtaine d'hommes portant des tenues de camouflage non identifiables. C'est ce commando de vingt hommes masqués et aguerris qui lancent l'assaut contre le QG de l'opposition avant que les gendarmes n'interviennent pour nous arrêter. »

Détenu treize jours dans les locaux de la Direction générale de recherche au camp Roux, situé en face de la présidence gabonaise, Jamel Nkebassani est emmené, le 6 septembre 2016 à 6 heures du matin, au palais présidentiel par un véhicule des services spéciaux. Il est interrogé par un enquêteur français qui, affirme l'informaticien gabonais, « prétendait être un envoyé spécial de la France venu pour découvrir ceux qui sèment le désordre dans les relations entre la France et le Gabon. Il se faisait appeler "02" et m'interrogeait avec une arme sur la table et un appareil photo-caméra en marche », précise Nkebassani[1].

La vingtaine de Français qui opèrent dans la garde républicaine de la présidence gabonaise à de hauts niveaux de responsabilité sont-ils liés à des sociétés françaises de sécurité ? « Pas du tout », assure Antony Couzian-Marchand, l'un des dirigeants de la société Gallice, qui a passé lui-même deux ans au palais à Libreville comme conseiller du Président au moment de la Coupe d'Afrique des nations. « Ces Français sont sous contrat gabonais dans la garde présidentielle et dans les interceptions[2]. » Antony Couzian-Marchand gère ses contrats sur l'Afrique, en particulier la formation des gardes présidentielles, depuis Dublin en Irlande. Pourquoi Dublin ? Parce que la loi française n'autorise pas ce type d'activité. Au Gabon, Gallice a également achevé en 2017 un contrat de trois ans pour la formation de la police et de la gendarmerie au maintien de l'ordre (deux fois 1 500 « éléments »).

---

1. Jamel Nkebassani Missamou est présenté le 13 septembre 2016 au procureur pour sa mise en accusation pour, entre autres : « Crime contre la paix publique et délit d'utilisation illégale de services de télécommunications. » Mais la doyenne des juges d'instruction le remet en liberté provisoire avec interdiction de quitter la capitale. Jamel Nkebassani rejoindra clandestinement la France. Le 9 janvier 2018, il a porté plainte à Paris auprès du doyen des juges d'instruction du TGI contre les Français qui opèrent au sein de la garde républicaine et auraient participé à l'attaque du QG de Jean Ping.

2. Entretien avec les auteurs, Paris, 9 mai 2017.

Des speed dating au Quai d'Orsay entre professionnels

Le paradoxe est que la plupart des sociétés françaises de sécurité, en particulier celles dont les dirigeants opèrent en Afrique, sont toujours « branchées » avec leurs anciennes maisons. Ces dirigeants sont peut-être installés hors de l'Hexagone, dans des pays aux législations plus souples, mais ils sont loin d'être des électrons libres. Antony Couzian-Marchand ne le cache pas : « Je ne contacte jamais moi-même les services secrets. Mais ils savent faire passer les messages. Je n'ai jamais eu de *no go* en ce qui concerne le Gabon. En revanche, il y a eu un feu rouge du Quai d'Orsay sur la Centrafrique[1]. » Selon les périodes et les amitiés politiques à Paris dans les milieux d'affaires français, la position officielle des « services » en Centrafrique a beaucoup zigzagué.

Les liens entre l'administration et les entreprises privées de sécurité se sont – légèrement – institutionnalisés depuis 2014. Auparavant, les anciens, passés de l'autre côté du pouvoir, étaient tenus à distance par la « Boîte ». Cela ne les empêchait pas de garder quelques contacts avec leurs frères d'armes les plus proches, mais discrètement. Début février 2014, le Centre de crise et de soutien du ministère de l'Europe et des Affaires étrangères a organisé une première réunion entre des responsables des services secrets et des opérateurs de sécurité privée actifs

---

1. *Ibid.*

à l'international. La communication officielle du Quai d'Orsay est « un dialogue permanent entre le Centre et des organisations professionnelles telles que le Club des directeurs de sécurité des entreprises ». La présence des services spécialisés n'est pas vraiment précisée. Parmi les participants figuraient, entre autres, des dirigeants des sociétés Amarante, Erys, Geos, Risk&Co, Securitas, Garda World... et Gallice[1]. « Le plus important au cours de ces rassemblements, raconte un participant qui tient à rester anonyme, ce sont les échanges de cartes de visite pour pouvoir rencontrer, plus tard, des officiers d'active du renseignement, *one-to-one*... Je te donne, tu me donnes : le drapeau avant tout ! »

À ces réunions, il ne manquait plus que Themiis, un institut de reconversion de hauts gradés militaires et policiers français, toujours prêts pour des opérations de formation de cadres dans les armées africaines. Dirigé par l'ex-colonel de troupes de marine Peer de Jong, ancien aide de camp des présidents François Mitterrand et Jacques Chirac, Themiis est très actif dans l'ancien pays du roi des Belges : la République démocratique du Congo (RDC). Une présence qui agace furieusement Bruxelles, où l'on estime que la France est trop passive dans sa condamnation du régime de Joseph Kabila. Animés par l'opposition congolaise, les réseaux sociaux ne sont pas tendres à l'égard de la tour Eiffel. Dans une lettre adressée au président Emmanuel Macron, deux lanceurs d'alerte, Jean-Jacques Lumumba, petit-neveu

---

1. Intelligence Online, n° 709 du 2 avril 2014.

du héros de l'indépendance congolaise, réfugié en France, et Floribert Anzuluni, du mouvement citoyen Filimbi, dénoncent « la poursuite de la coopération militaire et sécuritaire avec Kinshasa ». Dans son point de presse du 28 février 2018, le porte-parole du Quai d'Orsay a vivement réagi en expliquant que « la coopération de sécurité et de défense conduite par la France en RDC a connu une diminution ces dernières années et a été adaptée au regard de l'évolution de la sécurité intérieure ». Il n'y aurait plus de coopération policière depuis 2017 et un seul coopérant au sein de l'état-major des forces armées.

Bienvenue à la coopération privée ! « Sur financement européen » précise Peer de Jong[1]. Sans doute que les ascendances néerlandaises, donc protestantes, de cet ex-commandant du 3ᵉ régiment d'infanterie de marine ont beaucoup plaidé en sa faveur auprès du président Joseph Kabila, très remonté contre l'Église catholique qui soutient les marches de l'opposition. Fin 2017, l'Institut Themiis a été chargé du volet « défense » d'un programme de réforme du secteur de la sécurité d'une durée de six ans (2015-2021), financé pour un montant de 25 millions d'euros par l'Union européenne. Mais en direct, sur fonds congolais, Themiis gère aussi une École supérieure d'administration militaire et forme des officiers supérieurs au sein du Collège des hautes études de stratégie et de défense à Kinshasa. Pour des formations de courte durée, le vivier des généraux français à la

---

1. Entretien avec l'auteur, Paris, 1ᵉʳ février 2018.

retraite est inépuisable ! Les plus recherchés sont évidemment ceux qui connaissent le terrain tels que Jean-Paul Michel, ancien conseiller spécial du haut représentant de l'Union européenne et chef de la mission pour conseiller et assister les forces armées congolaises. Il vaut mieux débarquer avec un copieux carnet d'adresses dans l'état-major congolais…

La France est donc présente – officieusement – dans le secteur de la sécurité en RDC. Quant aux relations officielles, elles s'effectuent quasiment en cachette pour ne pas chagriner les partenaires européens de la France, tout particulièrement les Congo-Belges du quartier africain de Matonge à Bruxelles. C'est ainsi que le 20 juin 2017, à Lubumbashi (Sud du Congo), les deux « Africains » d'Emmanuel Macron – Franck Paris, conseiller Afrique de l'Élysée, et Rémi Maréchaux, directeur Afrique du Quai d'Orsay – sont allés discrètement s'entretenir avec Néhémie Mwilanya Wilondja, directeur de cabinet de Joseph Kabila. L'ambassadeur de France, Alain Rémy, était présent ainsi que le ministre congolais des Affaires étrangères, Léonard She Okitundu[1]. Mais cet aller-retour en avion spécial relevait plus d'une rencontre clandestine entre hommes du secret. Paris et Maréchaux sont deux exemples emblématiques des diplomates passés à l'école de la DGSE (lire chapitre VII). Quant à Mwilanya Wilondja, surnommé le vice-président, il doit en grande partie sa position au fait qu'il est aussi taciturne que son patron.

_____

1. *Jeune Afrique*, 27 juin 2017.

Kalev Mutond, administrateur général de l'Agence nationale du renseignement, a lui aussi la réputation d'être protégé par les Français. Au sein des conclaves les plus fermés de la Commission de Bruxelles, les diplomates français seraient intervenus afin que Mutond échappe, à la mi-décembre 2016, aux premières sanctions prises par les Européens contre une dizaine de « sécurocrates » du régime. Le maître espion de Kinshasa ne confirme pas cette protection tricolore mais lance à la volée : « Je m'entends toujours bien avec les services sécuritaires français[1]. » La DGSE ne manque pas d'autres amis à Kinshasa tel André Alain Atundu Liongo, le porte-parole de la majorité présidentielle. Il a la réputation d'avoir plus d'un contact à Paris dans les services : il fut le dernier chef du renseignement de la Sécurité nationale d'intelligence et de protection du maréchal Mobutu.

Information inédite : les services français avaient même réussi à recruter le colonel Eddy Kapend, chef de la sécurité du président Laurent-Désiré Kabila[2]. C'est lui qui avait abattu, le 16 janvier 2001, Rashidi Mizele, le garde du corps de Laurent-Désiré qu'il venait d'assassiner. Par la suite, Eddy Kapend fut lui-même impliqué dans la disparition du chef de l'État et condamné à mort à l'issue d'un procès controversé. Il clame toujours son innocence.

---

1. *Le Monde Afrique*, 30 juin 2017.
2. Confidence d'un diplomate français, Paris, 16 février 2018.

La traversée du miroir public-privé

Si les responsables des services sont aujourd'hui plutôt bienveillants à l'égard de leurs anciens passés au secteur privé, c'est qu'ils ont des difficultés à recruter et, surtout, à fidéliser leurs agents. D'où la facilité accordée, par décret de juillet 2017, aux espions fonctionnaires à se reconvertir dans l'investigation et la sécurité privée[1]. Tous les officiers ou sous-officiers des trois armées (air, terre, mer) qui auront effectué au moins huit années de service actif, en particulier dans des unités de renseignement ou de missions de commando, peuvent exercer des activités d'agent de recherche privé ou de protection physique. Ce délai est réduit à cinq ans pour les membres de la Direction du renseignement et de la sécurité de la défense (anciennement DPSD).

Ce feu vert officiel vient entériner le désengagement de l'État et le passage au secteur privé de centaines d'anciens agents des services secrets français. Dans un premier temps, plusieurs dizaines d'anciens officiers du service Action de la DGSE ou des forces spéciales, analystes et cadres du renseignement, n'ont proposé leurs compétences qu'aux seuls grands groupes français. Dans l'Afrique mondialisée et face à la perte d'influence de la France dans son ancien pré carré, cette offre a été élargie à d'autres sociétés étrangères. Aujourd'hui, les officiers les plus expérimentés mobilisent aussi leurs réseaux

---

1. Intelligence Online, n° 789 du 6 septembre 2017.

dans l'administration pour obtenir des contrats de protection des ambassades de France ou des déplacements de personnalités officielles en zones sensibles. Un nouveau marché d'avenir.

Il suffisait de suivre le ministre français des Affaires étrangères Jean-Yves Le Drian lors de son voyage en Libye, début septembre 2017, pour mesurer la compétition entre ces entreprises. Geos assurait sa protection dans Tripoli. À la tête de Geos, un général très expérimenté : Didier Bolelli, ancien directeur des opérations de la DGSE, ancien directeur de la DRM et de la DPSD. Qui dit mieux ? À Tobrouk, c'est SMS Security Consultancy du Français Gilles Bourguignon qui était à la manœuvre. À Benghazi, les déplacements du ministre français ont été directement assurés par les forces du maréchal Haftar… Un allié de la France soutenu aujourd'hui par la DGSE. C'est dans cette région que trois sous-officiers français sont morts « en service commandé », le 20 juillet 2016, dans le crash de leur hélicoptère.

En concurrence sévère, les sociétés de sécurité française en Libye s'adaptent aux conflits tribaux sur place. À chacun sa région ! Animé par deux anciens de la DGSE, Arnaud Dessenne et Stéphane Gérardin, le groupe Erys est quasiment devenu le référent sécurité du conseil municipal de la ville de Zintan, située à 150 kilomètres au sud-ouest de la capitale. Tous les groupes étrangers qui ambitionnent d'opérer dans la région de Zintan ont ainsi intérêt à connaître les numéros de mobile des deux patrons d'Erys, qui entretiennent également d'excellentes relations avec le gouvernement de Tripoli.

Toutes ces sociétés répondent en outre aux appels d'offres en matière de protection et de sécurité des Nations unies et de la Commission européenne. Mais pour négocier avec ces administrations, il faut disposer d'un sérieux *back-office* administratif. Pour les contrats émis par l'armée française, ce sont souvent les bagarres interarmes qui dominent. En Afrique, ce sont les réseaux de frères d'armes des troupes de marine, de la Légion étrangère ou de l'arme blindée et cavalerie qui priment.

En marge du cinquième sommet Union africaine-Union européenne, qui s'est tenu le 30 novembre 2017 à Abidjan, le président Emmanuel Macron a proposé à son homologue ivoirien Alassane Ouattara de créer dans son pays une école régionale de lutte antiterroriste. Ambition : former des officiers supérieurs des forces spéciales, du renseignement et d'autres forces d'intervention de toute la sous-région. La France ayant promis de mettre 30 millions d'euros au pot, ce projet mobilise plusieurs sociétés françaises de sécurité privée. Comme il faut cinq ans pour former un élément des forces spéciales qui ne sera opérationnel qu'une dizaine d'années, l'appui du secteur privé est une nécessité afin de ne pas piocher dans le pool des formateurs du COS français. Plusieurs anciens officiers de renseignement de l'armée française, aujourd'hui à la tête de sociétés privées (Erys, Corpguard...), tournent autour du tout-puissant ministre ivoirien de la Défense, Hamed Bakayoko, qui sera l'un des décideurs de ce projet.

Les P-DG et leurs hommes de l'ombre

Les patrons n'externalisent pas tous leur sécurité et leurs besoins en intelligence économique à des sociétés privées. À l'époque d'Elf Aquitaine, la règle était immuable : c'était toujours un officier de la DGSE qui prenait le poste stratégique de la sécurité, surtout les anciens chefs du service Action. C'est ainsi que Maurice Robert, Jean-Pierre Daniel, Patrice de Loustal et Alice Lamarque se sont succédé à la sécurité d'Elf Gabon dans les années 1980 et 1990. Le lien ombilical avec la « Boîte » était loin d'être coupé. Aujourd'hui, Patrick Pouyanné, P-DG de Total, reçoit bien des notes et analyses politiques et stratégiques d'une ou deux pages de consultants extérieurs, mais l'essentiel de la sécurité est géré en interne. Les priorités pour la compagnie pétrolière ont aussi changé. Pouyanné est plus demandeur d'informations sur la Russie ou le Moyen-Orient que sur l'Afrique. Martin Bouygues garde un ancien cadre de haut niveau de la DGSE pour sa sécurité : Bruno Lefebvre, un ancien du secteur « N ». Autre exemple de lien avec les « anciens » : quand le puissant groupe Castel (bières, sucre) a eu besoin de lutter contre la fraude douanière en Centrafrique, il a fait appel à un ancien légionnaire et honorable correspondant corse des services, Armand Ianarelli.

Mais la greffe ne prend pas toujours entre anciens militaires et patrons de groupes privés. La famille Saadé, qui gère le groupe CMA-CGM, leader du transport maritime en Afrique, a ainsi usé plus d'un général dans ses bureaux de Marseille. Ancien directeur de cabinet de Bernard Bajolet à la DGSE, le général Frédéric Beth a jeté l'éponge après avoir passé moins d'un an dans la grande tour de l'entreprise qui domine le port de Marseille. Pressenti pour lui succéder en tant que conseiller sûreté et affaires réservées de Jacques Saadé, le général Didier Castres, sous-chef d'état-major en charge des opérations, a finalement décliné l'offre. Il semble que le fils Saadé, qui a pris la barre du groupe, s'entende mieux avec les diplomates reconvertis dans le privé. Après Michel de Bonnecorse, ancien conseiller Afrique de Jacques Chirac à l'Élysée, c'est aujourd'hui Georges Serre, ambassadeur de France en Côte d'Ivoire jusqu'en juillet 2017, qui s'est installé sur la Canebière.

Faute de législation – au-delà de la facilité accordée au mois de juillet 2017 à la reconversion dans le secteur privé d'anciens militaires (pécule d'incitation au départ anticipé pour les officiers) –, les conditions structurelles d'intervention en Afrique de « nos agents dormants dans le privé » restent largement aléatoires sur le plan juridique. Ce n'est qu'en 2014 que le ministre de la Défense Jean-Yves Le Drian a commandé un rapport au général Thierry Caspar-Fille-Lambie pour étudier les modalités d'association des entreprises de services de sécurité et de défense aux missions menées par les forces françaises. Ce général de l'armée de l'air qui avait assuré, en 2013, les moyens aériens de l'opération *Serval* au Mali et de l'opération *Sangaris* en Centrafrique a fait ses adieux aux armes en septembre 2015 sans que son rapport n'ait ébranlé le ministère de la Défense. Une réflexion qui s'est effectuée à bas bruit.

Déjà en 2011, les députés Bernard Cazeneuve et Louis Giscard d'Estaing, chargés d'une mission d'évaluation et de contrôle sur les externalisations dans le domaine de la défense, avaient eu beaucoup de difficultés à faire parler la Grande Muette sur les sociétés militaires privées[1]. Ils avaient « passé à la question » le colonel François de Lapresle, alors sous-directeur de la politique et de la prospective à la Délégation des affaires stratégiques du ministère de la Défense. Le colonel avait d'abord tapé sur « ces Anglo-Saxons » qui ont massivement recours au secteur privé en matière de sécurité : « Ils n'ont pas une tradition de séparation des pouvoirs et mêlent la politique, les intérêts privés et l'économie. Ils adoptent à l'égard des sociétés militaires privées une stratégie globale avec tous les risques de mélange des genres que l'on sait. Nous ne souhaitons pas donner à ces sociétés des compétences qui pourraient les amener à de telles dérives et donc offrir un cadre clarifié. » Tout de même, avaient

---

1. Bernard Cazeneuve, Louis Giscard d'Estaing, « Rapport d'information de la Mission d'évaluation et de contrôle (MEC) sur les externalisations dans le domaine de la défense », Assemblée nationale, 5 juillet 2011.

relancé les députés, il y a bien des agents de sociétés privées françaises qui surveillent des ambassades de France ? « C'est le ministère des Affaires étrangères qui a lancé l'externalisation dans l'exercice de ses attributions, sans y associer le ministère de la Défense », a vivement retourné le colonel ! Une rare bouffée publique d'agacement vis-à-vis des diplomates qui empiéteraient sur le domaine de compétence des militaires.

Pourtant, à l'issue de ses travaux, la mission a recommandé « la plus extrême prudence à l'égard des sociétés militaires privées, tant en ce qui concerne la délivrance d'agréments que le choix des missions qui leur sont confiées[1] ». Bref, tout reste officiellement sous contrôle de l'État jacobin. Les relations entre les officiers, désormais « civilisés », dirigeants de leur propre société privée de sécurité, et leurs anciens frères d'armes des maisons mères de renseignement, se poursuivront, *as usual*, dans le plus grand secret. Sans loi, sans structures et sur la seule base de la confiance éprouvée et de l'oralité.

Est-ce si différent pour les autres intervenants extérieurs au continent dans le domaine du renseignement ? Les plus actifs et les plus furtifs sont les Israéliens. « Ancien » est un mot qui n'existe pas dans le langage des officiers du Mossad !

---

1. *Ibid.*

CHAPITRE VI

Nos faux-frères israéliens
aux « grandes oreilles » high-tech

Appelons-le « Haskel ». Un pseudo, tant cet homme de l'ombre ne nous pardonnerait pas d'être identifié. Ancien responsable du Mossad ou d'une unité de l'Israeli Defense Force, dédiée au réseau de la Cyberdéfense israélienne, Haskel impressionne, et pas seulement par sa musculature. Spécialiste de tout ce qui est offensif en matière d'interceptions téléphoniques et de pénétrations de données, il tient à vous mettre à l'aise : si vous le trahissez, il saura vite vous retrouver. Aussi êtes-vous soulagé qu'il passe très vite aux travaux pratiques sur les données d'autres cobayes. Que voulez-vous savoir ? On se lance : « Où se trouve en ce moment ce président d'un pays d'Afrique centrale (dont on taira le nom) qui est en visite à Paris ? »

En quelques minutes, à l'aide d'un numéro GSM international, Haskel géolocalise le numéro un de ce pays. Après avoir été reçu à l'Élysée, ce chef d'État se promène actuellement dans une zone de magasins de luxe. Haskel ne s'arrête pas là. À l'aide d'une autre application, il accède à tous les contacts du répertoire téléphonique d'une proche de ce même président, en hackant son GSM. Là, vous êtes un peu gêné, un peu voyeur... Surtout quand il est capable, à partir de cette liste de contacts, de localiser n'importe qui dans les zones couvertes par des satellites.

Après une telle démonstration, on comprend mieux l'affluence des hommes du renseignement dans les Forums de cybersécurité France-Israël-USA, organisés chaque année à Paris. Les « sécurocrates » des palais africains ne sont pas les derniers à hanter les travées et les stands de ces réunions. Mais les représentants des groupes israéliens les plus actifs en Afrique n'ont pas attendu ce rendez-vous : ils se sont déjà rendus sur le terrain pour proposer aux pouvoirs en place la panoplie complète de leurs équipements *high-tech*. L'éventail est large : du virus Pegasus de NSO Group, champion israélien du développement de logiciels espions, au système de neutralisation de drones ennemis au rayon laser de MCTECH Horizon Solution, sans oublier les interceptions sur les câbles de télécommunication d'Athena GS3, filiale de Mer Group, ou sur les communications en 4G d'Elbit Systems.

Les néophytes pourraient s'interroger sur cette stratégie entre Israéliens et Américains à Paris. La réponse est toute simple : aux Israéliens la technologie, aux Américains les capitaux pour financer les premiers. Chaperonnés par leurs anciens services (Mossad, Shin Bet ou Israeli Sigint National Unit), « les vétérans des unités 8100 et 8200, spécialisées dans les écoutes et le hacking de précision, bénéficient d'un accès privilégié aux capitaux américains, en particulier californiens », nous apprennent nos confrères Pierre Gastineau et Philippe Vasset, qui ont longuement enquêté sur les taupes les plus enfouies du darknet[1].

« Une société comme le Mer Group, qui assure les interceptions Internet et télécoms pour le compte de plusieurs pays africains et dont le dirigeant de l'une des filiales, Athena G3, n'est autre que Shabai Shavit, ancien directeur du Mossad, aurait fait fuir n'importe quel *business angel* européen, inquiet des répercussions d'un tel investissement sur son image », écrivent Gastineau et Vasset. Ils se sont également intéressés au Californien Francisco Partners, qui a racheté deux opérateurs de surveillance israéliens : le petit groupe NSO, spécialisé dans l'exploitation de failles informatiques, ainsi que Circles, tourné vers l'interception des communications cellulaires.

« *Les présidents veulent juste savoir qui couche avec qui !* »

Les présidents africains sont fans de tous ces matériels d'écoute. « Mais ils les achètent rarement pour la sécurité du pays », confie un cadre africain,

---

1. Pierre Gastineau, Philippe Vasset, *Armes de déstabilisation massive. Enquête sur le business des fuites de données*, Paris, Fayard, 2017.

sollicité dans ces milieux pour sa connaissance du marché de la sécurité. « L'entreprise pour laquelle je devais vendre du matériel a demandé à l'entourage sécuritaire du Président de dresser une liste de quinze personnes à cibler, autrement dit à écouter. Seules cinq demandes concernaient des opposants. Les dix autres se sont avérées être des demandes pour des affaires de mœurs. Tout ce qu'ils voulaient savoir, c'est qui couche avec qui ! », se lamente ce professionnel. Ce qui n'enlève rien à la qualité du matériel utilisé. Cette scène vécue au Cameroun, pays où les services nationaux vivent en osmose avec d'anciens officiers du renseignement israélien, en est la preuve.

Même la première dame, Chantal Biya, y a son propre service de renseignement et pas, comme le disent les mauvaises langues, pour surveiller « Monsieur » de très près. C'est avant tout un symbole de pouvoir. À la présentation d'une cérémonie de vœux, devant un aréopage d'épouses de ministres et autres femmes d'influence, les participantes étaient contraintes de laisser leur portable à l'entrée… C'est dire la paranoïa sécuritaire au palais alors qu'aucun secret n'a jamais circulé dans ces réunions de courtoisie. L'une des participantes a cependant cru être la plus maligne : elle a gardé son appareil et envoyé un texto à une amie. Un acte qui a vite été repéré par les grandes antennes et autres équipements de surveillance installés par les Israéliens sur le toit et dans le palais. À la sortie, toutes les participantes ont été interrogées et la coupable retrouvée. On ne sait pas quelle a été la sanction pour ce crime de lèse-majesté.

Au Cameroun, les hommes du Mossad, officiels et officieux, sont chez eux depuis le 6 avril 1984, date d'une tentative de coup d'État contre le président Paul Biya. Le chef de l'État camerounais leur a confié sa sécurité et ses services de renseignement. Il a toujours été persuadé que certains milieux français, nostalgiques de la période de son prédécesseur Ahmadou Ahidjo, avaient soutenu le putsch. Aussi est-il toujours méfiant à l'égard de la DGSE, même si les relations avec Paris se sont améliorées dans le cadre de la récupération de la riche région pétrolière de Bakassi, revendiquée un temps par le Nigeria, puis de la lutte commune contre le mouvement terroriste Boko Haram.

Encadré par des officiers israéliens, le BIR (Bataillon d'intervention rapide) camerounais a d'abord été dédié à la sécurité présidentielle avant d'intervenir dans le Nord du pays contre le mouvement djihadiste nigérian. Le patron du BIR est Maher Herez, un ex-général de Tsahal (l'armée israélienne), après la disparition en 2010 de son prédécesseur, le colonel Abraham Avi Sivan, dans le crash de son hélicoptère. Sivan était l'ancien attaché de défense de l'ambassade d'Israël à Yaoundé. Auparavant, c'était un autre colonel du Mossad officiellement à la retraite, Meir Meyouhas, dit Meyer, qui supervisait l'encadrement de la garde présidentielle. Jusqu'en 1988, ce dernier avait officié au Zaïre (aujourd'hui RDC), au sein de la garde du maréchal Mobutu.

Pour l'équipement militaire, tous ces officiers israéliens travaillent ou travaillaient avec Sami Meyuhas, fournisseur agréé par le ministère israélien de la Défense et qui opère depuis Genève. Pour la garde présidentielle et le BIR, les crédits sont illimités pour l'achat des armements et équipements les plus sophistiqués. Les 6 800 hommes de la garde présidentielle, véritables « rambos » suréquipés, pourraient sans problème résister aux 40 000 hommes de l'armée camerounaise. On reconnaît les commandos formés par le BIR à leurs Pataugas beiges et, surtout, à leurs conversations en hébreu, langue obligatoire si l'on veut grimper dans la hiérarchie de cette brigade d'élite. Les officiers camerounais doivent apprendre l'hébreu pendant un an et demi. Après tout, Yaoundé n'est qu'à quatre heures de vol de Tel-Aviv.

La passion de Paul Biya pour Israël va au-delà du simple parapluie sécuritaire. Selon les confidences d'un ancien diplomate israélien, le président camerounais a été initié à la Kabbale par le rabbin franco-israélien Léon Ashkenazi. Aussi le Cameroun est-il l'un des rares pays africains qui vote toujours en faveur d'Israël au Conseil de sécurité des Nations unies, en tout cas jamais contre. Au pis, l'ambassadeur camerounais prétexte une envie pressante pour s'abstenir de voter…

Dans cette ambiance sécuritaire israélienne, mieux vaut ne pas être trop proche des services français, sous peine d'être marginalisé. C'est ce qui est arrivé à Edgard Alain Mébé Ngo'o, ancien délégué général à la sûreté nationale du Cameroun puis ministre délégué à la présidence, chargé de la Défense. Avec Léopold Maxime Eko Eko, l'un de ses proches, directeur général de la recherche extérieure, il avait bien géré la libération en 2008 des dix marins français du *Bourbon Sagitta* enlevés au large de la péninsule de Bakassi. Nicolas Sarkozy, qu'Alain Mébé Ngo'o avait fréquenté quand le président français était encore ministre de l'Intérieur, voulait le décorer de la Légion d'honneur à l'Élysée. Prudent, Mebe Ngo'o a demandé l'autorisation à Paul Biya. Pas vraiment de réponse de l'énigmatique chef de l'État. Mebe Ngo'o a tout de même préféré être décoré Place Beauvau, au ministère français de l'Intérieur, plutôt qu'à l'Élysée[1]. Surtout ne pas paraître adoubé par la présidence française pour pouvoir éventuellement succéder à Biya !

Dans les autres anciennes colonies, il n'y a guère que le Togo sur lequel Israël puisse compter comme fidèle allié pour défendre ses positions, tant sur le continent que dans les organisations internationales. Une vieille complicité. C'est en Israël que l'ancien président Gnassingbé Eyadema allait toujours se faire soigner les yeux. Il est d'ailleurs décédé d'une crise cardiaque, le 5 février 2005, dans l'avion qui le conduisait à Tel-Aviv. Son fils, Faure Gnassingbé, qui lui a succédé, a officialisé des relations avec Israël, sur un mode plus discret que du temps de son père. Aux Nations unies, le Togo a ainsi été le seul pays africain à voter, le 21 décembre 2017, contre la condamnation de la décision

---

1. *Jeune Afrique*, n° 2970 du 10 au 16 décembre 2017.

de Donald Trump de reconnaître Jérusalem comme capitale d'Israël. Même le Cameroun s'est abstenu.

Quelques mois auparavant, le 7 août 2017, Faure Gnassingbé avait dîné en tête-à-tête à Tel-Aviv avec Benjamin Netanyahou. Le chef d'État togolais avait confirmé au Premier ministre israélien son engagement d'organiser à Lomé, du 24 au 26 octobre 2017, le premier sommet Israël-Afrique. Une promesse non tenue. À la suite de manifestations sociales et politiques d'envergure dans tout le pays, ce projet a dû être reporté *sine die*. Sans doute un soulagement pour le Président, qui subissait la pression de plusieurs de ses homologues africains à la tête de pays musulmans.

Le Mossad aux pays des diamantaires

Mais *business is business* : priorité aux écouteurs de la technologie israélienne d'espionnage, même dans des pays où les relations diplomatiques sont à l'étiage. Les démarcheurs de ce type de matériel sont ainsi reçus avec le sourire professionnel des maîtres espions locaux, même dans les présidences africaines les plus hostiles à la politique de Tel-Aviv. De longue date, les anciens du Mossad sont en terrain conquis dans les grands pays miniers du continent où s'affairent les diamantaires, à l'instar de Dan Gertler auprès de Joseph Kabila au Congo-Kinshasa et de Lev Leviev en Angola. Ce dernier a longtemps bénéficié de la protection de Mirla Gal qui a été en activité au Mossad pendant plus de trente ans, tant en Afrique qu'en France.

De crainte d'être piétinées, les PME de cybersécurité tentent néanmoins d'éviter les pays où s'affrontent à mort les très grandes fortunes, comme celle de George Soros qui s'oppose à celle de Beny Steinmez en Guinée. « Quand les éléphants se battent, ce sont les fourmis qui meurent », rapporte sagement le proverbe. Mais certaines prennent le risque : il y a de sérieux contrats à récupérer pour les fourmis survivantes. L'un des principaux collaborateurs de Beny Steinmetz en Guinée était Asher Avidan, un ancien cadre du Shin Bet.

Les anciens des services israéliens sont toutefois souvent meilleurs en technologie qu'en politique africaine. Le soutien d'Israël Ziv, ancien directeur des opérations de Tsahal, au putschiste guinéen Moussa Dadis Camara en 2009 n'a pas été une heure de gloire de l'expertise de l'encadrement d'une garde présidentielle en Afrique[1]. Le 28 septembre 2009, l'armée guinéenne a réprimé dans le sang (156 morts) une manifestation de l'opposition. À son arrivée au pouvoir en novembre 2010 à Conakry, le président Alpha Condé a également fait appel à une entreprise israélienne de sécurité : AD consultants, de l'ancien lieutenant-colonel de l'Israeli Air Force Gabriel Peretz, qui fournit aussi des avions de transport[2].

Au Congo-Brazzaville, qui a des liens financiers étroits avec le Qatar pour l'exploitation du pétrole et,

---

1. Intelligence Online, n° 803 du 28 mars 2018.
2. *La Lettre du Continent*, n° 757 du 12 juillet 2017.

plus récemment, avec l'Arabie saoudite, Tel-Aviv a fourni l'ensemble des systèmes d'écoute et de brouillage du Conseil national de sécurité, dont le patron est Jean-Dominique Okemba, l'un des maîtres espions africains préférés de ses homologues français. Ces équipements sont installés dans la tour Elf Nabemba qui surplombe Brazzaville.

Dans d'autres bastions français comme la Côte d'Ivoire, les Israéliens sont restés présents même après le changement de régime en 2011 qui a vu le départ de Laurent Gbagbo et l'arrivée au pouvoir d'Alassane Ouattara. Ils ont équipé en matériels d'écoute un étage de l'Hôtel Ivoire, qui domine la Lagune, le point le plus haut de la capitale ivoirienne, et, aussi, les sous-sols de la Poste du Plateau. De son côté, la société israélo-canadienne Visual Dence et sa filiale AviSecure, déjà présente au port d'Abidjan, ont obtenu pour vingt-cinq ans la concession de la sécurité globale de l'aéroport d'Abidjan. Un site hautement stratégique.

Au détriment des Français dont Abidjan est le meilleur point d'entrée dans l'Afrique de l'Ouest francophone ? Pas vraiment. « Cela ne nous gêne pas tant que cela, on a d'autres moyens pour savoir ce qui se passe, d'autres capteurs très efficaces », confie un haut responsable français du renseignement qui n'en dira pas plus sur ces « capteurs ».

La DGSE ne labellise que la technologie tricolore

Cette offensive tous azimuts des « petites oreilles » technologiques israéliennes gêne d'autant moins la DGSE que le service français tourne en circuit fermé. Sa direction technique ne labellise que les sociétés nationales qui ont été testées comme étanches et habituées aux *modus operandi* secrets de la « Boîte ». La société la plus connue des fournisseurs agréés et traditionnels de la DGSE est Ercom, installée à Vélizy-Villacoublay, pas très loin de ses grandes sœurs, Thales et Dassault Systèmes. Sur son site, Ercom se présente comme un spécialiste d'outils défensifs de chiffrement de communications. Cette société se vante d'équiper, depuis 2002, l'avion présidentiel français d'un téléphone sécurisé et d'avoir pour principaux clients l'Élysée, le Quai d'Orsay, l'Imprimerie nationale et Orano (ex-Areva). C'est dire la confiance ! Le masque africain d'Ercom est sa filiale Suneris Solution qui dispose, quant à elle, d'une panoplie d'outils plutôt offensifs d'interception. La DGSE oriente ses maîtres espions africains alliés du Mali, du Niger, ou de la Côte d'Ivoire vers ce type de sociétés compatibles.

Voilà pour le renseignement intérieur auprès des pouvoirs africains. Pour surveiller l'immense zone sahélo-saharienne de plus de 5 millions de km^2, c'est une autre histoire. La DGSE et la DRM ont longtemps été tributaires du bon vouloir du renseignement américain.

Comme l'a reconnu, le 8 mars 2018 à l'Assemblée nationale, le général Jean-François Ferlet, directeur de la DRM, le renseignement français au Sahel, sans les Américains, serait borgne et dur d'oreille : « Nous avons énormément d'échanges avec eux, au niveau central, entre agences de renseignement, et sur le terrain, notamment au Sahel où le soutien américain en moyens aériens de surveillance et de reconnaissance est déterminant pour nos opérations. Ces échanges de renseignements avec les Américains sont très importants [...]. Sans aller jusqu'à une formule de Six Eyes[1], nous avons obtenu des accords bilatéraux de partage du renseignement[2]. »

Aujourd'hui, les deux services secrets français espèrent, non sans impatience, disposer d'ici 2025 de leur propre flotte de huit drones et, d'ici 2030, de huit avions légers de surveillance et de reconnaissance. En attendant, la DRM utilise son Transall C-160 Gabriel. Il recueille du renseignement en pratiquant des écoutes, explique le général Jean-François Ferlet : « Le linguiste (parlant le tamasheq) est dans l'avion, il écoute en direct, et s'il entend quelque chose d'intéressant, il note l'information et la diffuse immédiatement. Par ailleurs, nous disposons de beaucoup d'informations dans les bases

---

1. « Five Eyes » est l'alliance d'échange de renseignement entre les États-Unis, le Royaume-Uni, le Canada, la Nouvelle-Zélande et l'Australie. La France serait, presque, le « Sixième Œil ».

2. Audition du général Jean-François Ferlet, directeur de la Direction du renseignement militaire, le 8 mars 2018 devant la commission de la défense nationale et des forces armées de l'Assemblée nationale.

de données. Tout n'est pas traduit. Ces informations peuvent faire l'objet de recherches ultérieures pour des études plus fouillées sur des sujets spécifiques[1]. »

Quant à la DGSE, elle sous-traite au prestataire privé CAE Aviation ses missions en Intelligence-Surveillance-Reconnaissance. Bernard Zeller, le patron de cette société dont le siège est installé sur l'aéroport du Luxembourg, a démarré ses activités dans l'épandage agricole avant de se développer dans le renseignement. Les services sont venus le chercher en 2011 à Nouakchott, avant l'opération *Serval* en 2013. Le pilote ne disposait alors que d'un avion. Aujourd'hui, CAE Aviation met à disposition des services français de renseignement ses onze avions (Beechcraft 350 « Super King », Fairchild SA 227 « Merlin IV »...).

Le crash, le 25 octobre 2016 à Malte, d'un appareil de cette compagnie avec cinq membres de la DGSE à bord a toutefois relancé les interrogations sur le bien-fondé de cette sous-traitance dans un domaine aussi sensible. « L'achat de ce type d'avion est trop cher pour nous. La location est plus souple et nous permet de bénéficier des évolutions technologiques en temps réel », justifie un haut responsable du renseignement français. Si la DGSE a ses habitudes avec CAE Aviation, la DRM, outre son Transall C-160, loue les avions de la société Air Attack Technologies qui disposent d'instruments d'interception de communications satellitaires prisées par les djihadistes.

_____

1. *Ibid.*

Au Sénégal, on écoute les sous-marins

Pour moderniser ses « grandes oreilles » au sol, la France se replie dans son fief imprenable du Sénégal. À la pointe ouest du continent africain, ce pays d'une importance géostratégique majeure est le plus français d'Afrique. C'est justement à Rufisque, ancienne capitale de l'Afrique-Occidentale française (1902), surnommée « le petit Paris de l'Afrique », que l'armée française dispose de son plus grand centre d'écoutes dans la région. Ses antennes balayent une partie de la zone sahélo-saharienne. Elles servent également de relais secret aux sous-marins nucléaires français qui patrouillent dans les fonds de l'Atlantique.

En 2017, la DGSE et les services du ministère de l'Intérieur ont commencé la formation de techniciens et d'analystes sénégalais dans la perspective de monter un nouveau grand centre d'interceptions. Au cœur de cette fête *high-tech* : l'araignée Thales et ses nombreux secteurs de défense, de sécurité et de transport terrestre. Thales est engagé au Sénégal autant dans la vente de deux radars de détection aérienne GM400 – ses modèles les plus récents et performants – que dans le méga projet de train express régional qui reliera la capitale, Dakar, au nouvel aéroport international Diamniadio. Des affaires conclues en 2017, en tête à tête, entre les présidents Macky Sall et Emmanuel Macron.

C'est aussi au pays de l'ancien président-poète Léopold Sédar Senghor – dont le nom a été choisi par la promotion de Macron à l'ENA – que la France organise chaque année un Forum sur la paix et la sécurité en Afrique. La quatrième édition s'est tenue à Dakar les 13 et 14 novembre 2017. Une sacrée organisation mais un rituel bien rodé. Les cinq cents participants quittent à l'aube leurs hôtels pour échapper aux embouteillages d'enfer de Dakar. Pour des raisons de sécurité, ils sont exfiltrés à 30 kilomètres au sud-ouest de la capitale sénégalaise, au Centre international de conférence Abdou Diouf (CICAD). Gigantesque masse de béton hors sol, construite par les Turcs, le CICAD est situé dans la nouvelle zone futuriste de Diamniadio, plutôt lunaire : pas âme qui vive à l'horizon.

Le Forum se veut international. Las, les ministres des Affaires étrangères du Kenya, du Ghana et de la Zambie se sont, pour cette quatrième édition, décommandés à la dernière minute. Aussi l'ambiance générale est-elle restée francophone, plutôt tricolore et entre soi. Bref, un peu rétro dans une Afrique mondialisée. La grande majorité des sociétés participantes sont françaises. Officiellement, aucune société israélienne n'est présente ! Dans le grand hall du centre, les officiers généraux de l'armée française opérant en Afrique, en uniforme, semblent heureux de retrouver leurs anciens frères d'armes, de jeunes généraux retraités passés au secteur privé. Ils échangent entre initiés. Tous fuient des assemblées plénières aux débats lénifiants. Ce n'est que dans le huis clos des ateliers, où interviennent de discrets émissaires de terrain dans les zones de conflit sahéliennes, que l'on apprend le *modus operandi* du renseignement humain, complément indispensable à tous les systèmes d'écoute.

Pour les consultants privés défroqués de leur uniforme, la principale activité au cours de ce forum est de contacter les quelques généraux africains présents, surtout les patrons des états-majors du G5-Sahel (Mauritanie, Burkina Faso, Mali, Niger, Tchad) à la veille du déblocage d'importants financements pour l'acquisition d'équipements. Le plus dur pour les généraux retraités français qui ont monté leur entreprise est de pister les apporteurs d'affaires de l'entourage des présidents africains. Fils du président du Mali, député et président de la commission de défense de l'Assemblée nationale, Karim Keïta était l'homme le plus recherché de ce forum 2017. C'est sans doute la raison pour laquelle il traversait toujours le hall à vive allure...

Dans ce huis clos familier du monde des affaires de la sécurité et de l'armement en Afrique, l'invité-surprise de cette quatrième édition fut le président rwandais Paul Kagame. Futur président de l'Union africaine en 2018, il ne pouvait pas refuser une brève apparition à ses pairs d'Afrique de l'Ouest, le Sénégalais Macky Sall et le Malien Ibrahim Boubacar Keïta. Juste le temps pour le chef d'État rwandais d'appeler les Africains à se prendre en main et à ne pas « laisser les autres définir nos défis à notre place et prendre en charge la résolution de nos problèmes ». Une petite leçon en terre franco-sénégalaise. Avant de quitter le forum, Paul

Kagame aurait toutefois, dans le plus grand secret, serré la main du général Grégoire de Saint-Quentin, ancien commandant de la mission militaire française au Rwanda en 1994. Une paix des braves plus politique que militaire.

En clôture, le 14 novembre, le ministre de l'Europe et des Affaires étrangères Jean-Yves Le Drian a évoqué le projet en cours d'une école nationale de la cybersécurité à vocation régionale. « Il s'agit d'un projet innovant, en vue de renforcer les capacités de nos partenaires africains dans la réponse aux menaces cyber, que ce soit la protection des réseaux, la réponse aux cyber-attaques, mais aussi la lutte contre la cybercriminalité et le terrorisme, qui sont des menaces tout à fait réelles et ne sont pas limitées au monde européen ou au monde américain », a lancé l'ancien ministre de la Défense. Il a déjà pris date pour « le constat du caractère opératoire de cette école » au prochain forum de novembre 2018.

Sans doute un calendrier un peu optimiste si le projet n'est conduit que par la Direction de la coopération et de sécurité et de défense. Installée boulevard des Invalides, cette direction du Quai d'Orsay gère déjà quatorze écoles nationales à vocation régionale en Afrique subsaharienne, mais avec un budget en chute libre et des effectifs qui ne dépassent pas les trois cents coopérants militaires contre sept cents, il y a quelques années. En 2015, la DRM a monté sur sa base de Creil (région des Hauts-de-France) un super centre de recherche et d'analyse cyber avec des effectifs de plus de quatre-vingt-dix personnes. Mais à usage strictement hexagonal.

Faute de financement public, les spécialistes privés français de la cybersécurité tentent d'émerger pour affronter la puissante technologie israélienne. Le grand organisateur du Forum de Dakar est le cabinet de conseil en stratégie et management des risques CEIS. Présidé par Olivier Darrason, spécialiste des conseils de défense, CEIS anime également chaque année le Forum international sur la cybersécurité de Lille. C'est l'alignement des astres dans la galaxie du numérique. Au quarante-cinquième étage de la tour Montparnasse à Paris, CEI dispose déjà d'une équipe de « méchants » *hackers* maison (les responsables de CEIS disent plutôt « hackers éthiques ») installés dans des fauteuils rouges, capuche sur la tête, face à de « gentils » cadres de sociétés françaises considérées comme sensibles aux intrusions maléfiques. Baptisé « Bluecyforce », ce centre d'entraînement en cyber-défense est financé par les entreprises.

Sur l'Afrique de l'Ouest, qui a fait l'objet d'une étude récente du CEIS, le problème du financement n'est pas réglé alors que la cybercriminalité est en plein boom : « Le pays le plus attaqué est le Nigeria, suivi par la Côte d'Ivoire et le Sénégal. Des statistiques qui suivent logiquement le taux de pénétration Internet[1]. » Et grâce à la réussite, si l'on ose dire, du groupe chinois Huawei qui a emporté tous les contrats de desserte en fibre optique de la

---

1. « Afrique de l'Ouest : le défi de la cybersécurité », *Notes stratégiques CEIS*, avril 2017.

région (Guinée, Sénégal, Côte d'Ivoire, Mali...), la cybercriminalité devrait vivement progresser. Selon la division du crime informatique du FBI, trois pays africains seraient même classés parmi les dix premières sources de cyber-arnaques : le Nigeria (3e), le Ghana (7e) et le Cameroun (9e).

Mais que proposent donc les Israéliens dans les domaines de la cyberdéfense et de la cybercriminalité que les autres sont incapables de fournir ? Haskel ne doute pas de la suprématie de ses compatriotes. Il sort de sa besace deux disquettes. Travailler à l'ancienne semble pour lui être un gage de confidentialité... L'une comporte un annuaire complet des deux cents entreprises israéliennes répertoriées par le ministère de la Défense, à vocation internationale. Tout y est, y compris les coordonnées des attachés de défense israéliens en Europe. Il suffit de décrocher son téléphone... La seconde disquette contient un autre répertoire de la *Homeland Defense*, des entreprises israéliennes de défense, tout aussi, apparemment, accessibles. À l'évidence, l'État assure sans fard l'offre technologique sécuritaire israélienne du secteur privé. Pas de sas ni de pudeurs excessives. En contrepartie, les hommes d'affaires israéliens qui rentrent au pays sont débriefés jusqu'à la moelle.

Un patron d'un groupe français de sécurité raconte : « Je devais joindre un ami, patron d'une société israélienne de sécurité d'envergure. On devait se parler et je n'arrivais pas à le joindre. Quand, enfin, j'ai réussi à l'atteindre, il m'a tout de suite dit :

"Excuse-moi, j'étais en train de me faire débriefer par le Mossad. Pas toi avec ta DGSE ?" » L'oralité en tête à tête est toujours reine ! Et pas seulement en Afrique.

CHAPITRE VII

Nos maîtres espions diplomates

Qu'y a-t-il de commun entre le conseiller Afrique du président Macron Franck Paris, le directeur du département Afrique du Quai d'Orsay Rémi Maréchaux, et l'ambassadeur de France à Dakar Christophe Bigot ? Ces trois diplomates sont passés par la case DGSE au cours de leur parcours dans les arcanes de l'État. Bien leur en a pris. Un crochet par le Boulevard Mortier apparaît de plus en plus comme un passage recommandé, sinon obligé, pour qui aspire à de hautes responsabilités dans les affaires diplomatiques. Et singulièrement dans les affaires africaines.

À Dakar, tout près du chaudron sahélien

Belle gueule d'acteur, Christophe Bigot se serait bien vu à la direction d'une DGSE qu'il connaît bien pour y avoir œuvré, de 2013 à 2016, comme directeur de la Stratégie (surnommée la DS en interne) – il y a été affecté juste après avoir été ambassadeur en Israël –, ou bien CNR (coordonnateur national du renseignement) à l'Élysée. Finalement, il restera à Dakar, un lieu où il peut satisfaire son goût pour les affaires délicates[1].

Située sur les rives de l'Atlantique, juste en face de l'île de Gorée, haut lieu de mémoire de la traite négrière, la résidence de l'ambassadeur de France est l'une des plus belles, et des plus vastes, dont dispose l'ex-puissance coloniale sur le continent africain. Mais Dakar n'est pas que prestige. C'est aussi un poste stratégique, légèrement en retrait du chaudron sahélien. Une place idéalement située pour surveiller ce qui s'y passe et pour y faire face.

Siège de grandes organisations internationales actives dans la région, la capitale sénégalaise est un carrefour où se croisent diplomates, humanitaires, chercheurs et militaires. L'écrivain et académicien Jean-Christophe Rufin, ex-ambassadeur à Dakar sous Nicolas Sarkozy, en a fait son miel en rédigeant *Katiba*, roman à clef sur la menace djihadiste publié en 2011, juste avant la vague d'attaques qui a frappé l'Hexagone[2].

L'endroit est sensible. En octobre 2017, les Américains ont déclenché l'alerte rouge sur un projet d'attentat imminent visant un hôtel de luxe du bord

---

1. Le gouvernement Macron a nommé à la tête de la DGSE, en juin 2017, Bernard Émié, un diplomate, spécialiste du monde arabo-musulman (avant sa nomination, il était ambassadeur en Algérie). Le préfet et ancien patron de la DST sous Jacques Chirac, Pierre de Bousquet de Florian, a quant à lui été nommé CNR.

2. Jean-Christophe Rufin, *Katiba*, Paris, Gallimard, 2011.

de mer dans la capitale sénégalaise, provoquant la fermeture immédiate d'un établissement cité nommément par les services de Washington. « Pas de panique ! », répondit, en substance, le représentant de la France sur place, Christophe Bigot, pour la plus grande satisfaction des autorités locales, qui redoutent l'impact ravageur de ce genre d'affaire sur le secteur touristique. Les ressortissants français dûment répertoriés par les services consulaires ont ainsi reçu ce message sibyllin sur leur portable : « Sécurité : seuls les messages émanant de l'ambassade de France à Dakar sont à prendre en considération. » Les collègues américains ont dû apprécier… Mais Paris estimait que leur renseignement, obtenu dans la Guinée-Conakry voisine, émanait d'une source peu fiable, non recoupée. En tout cas, d'attentat, il n'y eut point.

Au-delà de ces bisbilles entre alliés, les services sont effectivement sur le qui-vive à Dakar, sans doute la dernière grande ville de la région, au moment où nous écrivons ces lignes, à ne pas avoir été la cible d'une attaque terroriste. Contrairement à Bamako, Niamey, Ouagadougou et Abidjan (ou, plus précisément, Grand-Bassam). Mais la menace se rapproche. En juin 2017, deux terroristes soupçonnés d'appartenir à la mouvance de l'État islamique sont expulsés par les autorités turques, destination Dakar. À leur plus grande surprise, ils débarquent tranquillement à l'aéroport international de la capitale sénégalaise, sans personne pour venir les cueillir à leur descente d'avion. Il faut dire que les autorités d'Ankara avaient oublié un léger détail : prévenir leurs homologues sénégalais !

Les deux hommes, de nationalité algérienne, s'évanouissent alors dans la nature, avant que les services sénégalais et français n'aient eu vent de l'affaire. Mais il y aura une session de rattrapage quelques semaines plus tard. Tous deux se sont mis au vert en Mauritanie, d'où il leur faut sortir au bout de trois mois pour obtenir un visa en bonne et due forme. En traversant la frontière, ils sont aussitôt interpellés par la police sénégalaise. Gageons que les services français et américains, très présents à Dakar, auront été associés de près à leur interrogatoire. Selon la presse locale, le Sénégal détiendrait un certain nombre de djihadistes présumés dans ses geôles.

Fort de son expérience à la « Piscine », Christophe Bigot est à son affaire à Dakar. Il fait partie de cette caste des « diplomates-espions » qui, au fil des ans, s'agrandit à mesure que certaines têtes bien faites du ministère des Affaires étrangères quittent provisoirement les ors du Quai d'Orsay pour travailler, durant quelques années, dans les bureaux très fonctionnels du Boulevard Mortier. « Quand il évoque son passage à la DGSE, c'est toujours avec beaucoup de passion », confie un diplomate du département Afrique à propos de son collègue de Dakar.

Christophe Bigot a tiré profit de cette expérience Boulevard Mortier et appris à en dire le moins possible. S'il reçoit des journalistes dans l'une des pièces spacieuses et richement décorées de son ambassade à Dakar, c'est avec une certaine réticence et peu de temps à leur consacrer. Flanqué d'un de ses bras droits, qui prend des notes, le diplomate consent à évoquer son passage à la « Boîte » : « C'est sans doute un atout pour intégrer la dimension sécuritaire de la zone, mais cela a aussi ses limites : on vous colle facilement une image de barbouze, raconte-t-il. Je m'entends souvent dire : "Toi qui connais bien le Mossad[1]…" » Mais selon un bon observateur à Dakar, bien introduit dans les milieux diplomatico-militaires locaux, « Christophe Bigot cite très souvent son passage à la DGSE, il aime bien en jouer vis-à-vis de ses interlocuteurs[2] ».

Diplomates et espions forment un couple contre nature, contraint de cohabiter et dont la relation est sans cesse à réinventer. La méfiance est de mise entre ces deux corporations. « Je me souviens avoir entendu un ancien conseiller Afrique de Jacques Chirac dire à propos des notes de la DGSE : "Je ne lis pas ce genre de torchon !" », raconte ainsi un proche de l'ancien président de la République.

Cette méfiance persistante et réciproque a été illustrée lors du quinquennat de François Hollande par un épisode qui a marqué tous ceux qui étaient assis, ce jour-là, autour de la table du 2, rue de l'Élysée, siège de la cellule Afrique de la présidence de la République depuis Jacques Foccart.

Chaque jeudi s'y tient une réunion regroupant les différents services de l'État, notamment de renseignement, impliqués dans les dossiers africains.

---

1. Entretien avec les auteurs, Dakar, 14 novembre 2017.
2. Entretien avec les auteurs, Dakar, 16 novembre 2017.

Soit une vingtaine de personnes. « Cela fait un peu trop de monde », juge un familier de ces réunions. La DGSE, avec sa discrétion habituelle, y participe : ses représentants interviennent généralement sous l'étiquette neutre du ministère de la Défense, qui n'abuse pas grand monde parmi les présents mais qui entretient une délicieuse ambiguïté. Un diplomate se souvient ainsi de sa surprise quand un espion s'y présenta, un jour, sans lui en avoir parlé au préalable, comme son adjoint.

Les tensions y sont parfois palpables, en fonction de l'actualité brûlante du moment et de la sensibilité de certains dossiers. Comme ce jour-là, en 2013, où la conseillère Afrique de François Hollande, Hélène Le Gal, s'en prend vivement au représentant de la « Boîte » : « Vous colportez des rumeurs ! », lui assène-t-elle devant l'assistance médusée. L'intervenant de la DGSE venait d'évoquer la question du trafic de drogue au Niger et les présumées complicités dans l'entourage direct du président Mahamadou Isssoufou, un proche de François Hollande. Or, explique un bon connaisseur des coulisses de l'État, « la DGSE ne dit rien sans avoir recoupé à 80-90 % un renseignement, c'est sa crédibilité qui est en jeu[1] ».

Pour un ancien diplomate spécialiste de l'Afrique, le problème serait ailleurs : selon lui, toute vérité ne serait pas bonne à dire, surtout concernant les amis africains de l'Élysée. Du coup, poursuit-il, la DGSE en viendrait parfois à « s'autocensurer ».

---

1. Entretien avec l'auteur, 9 novembre 2017.

Et de citer, en particulier, le cas d'une note concernant un homme d'affaires nigérien très proche du président du Niger, Chérif Ould Abidine, qui avait gagné localement le surnom évocateur de « cheikh cocaïne ». Considéré comme l'un des grands soutiens financiers de Mahamadou Issoufou, il est mort brutalement en février 2016. Une grosse perte pour le président du Niger.

La « DS », fief des diplomates du Boulevard Mortier

Pour tenter de combler ce fossé de méfiance et d'incompréhension entre le monde feutré de la diplomatie et celui du renseignement où, par nature, tous les coups sont permis, un ancien patron de la DGSE sous François Mitterrand, Claude Silberzahn, a créé en 1989 la direction de la Stratégie, un poste réservé aux diplomates. Dans le sillage de l'affaire du *Rainbow Warrior* en Nouvelle-Zélande, souvenir cuisant s'il en est du côté du Boulevard Mortier, il s'agissait de sortir la DGSE de son splendide isolement, de mieux l'arrimer au reste de la machine d'État et de mieux identifier ses priorités. « L'idée, résume sans langue de bois un ancien titulaire du poste[1], c'était un peu d'en finir avec les barbouzeries. » À la fin des années 1990, cette nouvelle direction se compose de quatre ou cinq personnes. Aujourd'hui, elle en compterait environ cent cinquante, des agents de la DGSE

---

1. Entretien avec l'auteur, 23 juin 2017.

placés sous la direction de diplomates. Les compétences de la DS se sont d'ailleurs accrues depuis le passage de Christophe Bigot à sa tête : elle gère désormais les relations avec les services étrangers amis.

Par le passé, le poste de « DS » (directeur de la Stratégie) a aussi été occupé par deux hommes que l'Afrique a réunis : Bruno Joubert (de 1997 à 2001) et Rémi Maréchaux (entre 2010 et 2013). Les deux diplomates se connaissent très bien : sous le quinquennat de Nicolas Sarkozy, Rémi Maréchaux a travaillé au sein de la cellule Afrique de l'Élysée sous l'autorité d'un certain... Bruno Joubert. À quelques années de distance, le premier a marché sur les traces du second : après avoir quitté son poste de conseiller au palais de l'Élysée, Rémi Maréchaux a donc été nommé à la tête de la direction de la Stratégie du Boulevard Mortier (de 2010 à 2013). Puis ce diplomate qui parle couramment le swahili a pris la direction du Kenya comme ambassadeur avant d'être nommé directeur Afrique du Quai d'Orsay. Comme, avant lui, Bruno Joubert.

« La DGSE, c'est sans doute un plus[1] », concède aujourd'hui Rémi Maréchaux, dans son bureau décoré d'un pagne à l'effigie d'Obama et d'un dessin signé par un célèbre cartooniste kényan. Son passage à la « Piscine » lui a été fort utile : « Rémi Maréchaux "parle" DGSE, il sait ce qu'il peut demander et obtenir. », confie un diplomate qui le connaît bien. Tout comme le conseiller Afrique d'Emmanuel Macron, Franck Paris, qui a été numéro deux non pas de la

---

1. Entretien avec l'auteur, 20 février 2018.

DS, mais de la direction du Renseignement, le cœur de la « Boîte ». Un cas atypique. Lui aussi « parle » DGSE. « Cela se sent et s'entend dans ses propos », poursuit notre interlocuteur[1].

« Au Quai d'Orsay, on a certes un accès privilégié au travail mené par la DGSE par le biais des notes blanches reçues (jusqu'à une vingtaine par jour), mais en œuvrant directement Boulevard Mortier, on voit une autre réalité, et on sent mieux les choses quand quelqu'un essaie de vous enfumer », raconte ce diplomate qui y est passé, avant d'ajouter, sibyllin : « On prend conscience aussi de la palette d'outils dont disposent les services pour empêcher quelqu'un de nuire à nos intérêts. »

Le fantôme de Denis Allex

L'actuel directeur Afrique du Quai d'Orsay « reste très impressionné par ce qu'il a vu à la « Piscine », notamment par les capacités dont disposent les services », confie notre source diplomatique. Rémi Maréchaux a vécu, aux premières loges, un épisode aussi intense que tragique de la vie de l'agence. En 2010, il rejoint la DGSE, alors fortement mobilisée pour tenter d'extirper l'un des siens tombé aux mains d'un groupe islamiste en Somalie : l'agent Denis Allex (un pseudonyme), capturé à Mogadiscio le 14 juillet 2009, et détenu depuis lors par les Shebabs.

---

1. Entretien avec l'auteur, 9 novembre 2017.

Une équipe se consacre « H 24, 7 jours sur 7 », confie une source impliquée dans ce dossier, à la traque des ravisseurs de Denis Allex et à l'obtention de sa libération. La détention, dans des conditions qualifiées d'inhumaines par ses collègues, est un calvaire pour sa famille, mais aussi pour toutes les équipes du Boulevard Mortier. La traque va durer trois ans et demi. Quand, courant 2012, l'équipe de la DGSE parvient à localiser, grâce à des sources sur place, l'endroit où Denis Allex est détenu : une discrète villa sécurisée de Buulo Mareer, au sud de Mogadiscio, dans une zone alors contrôlée par les Shebabs.

Après trois années de vaines négociations avec les ravisseurs, et alors que l'état général de l'otage se dégrade rapidement, la décision est prise, au plus haut niveau de l'État français, de monter une opération commando pour tenter de le libérer. Celle-ci va être préparée durant des mois, avec d'énormes moyens. Les Français s'inspirent notamment de l'opération réussie par les *Navy Seals* américains (commandos de marine), au cœur du Pakistan en mai 2011, qui a abouti à la mort d'Oussama Ben Laden. Le lieu où est retenu prisonnier Denis Allex est reconstitué sur la base française de Djibouti, proche du théâtre somalien. Les commandos s'entraînent sur place, répétant chaque geste. Ils sont hypermotivés : il s'agit de camarades du service Action de l'otage. Certains ont théoriquement passé l'âge, mais ils demandent à reprendre du service pour pouvoir participer à la libération de leur collègue et ami.

Le feu vert des autorités est finalement donné dans la nuit du 11 au 12 janvier 2013, alors qu'au même moment les forces spéciales françaises entrent en action à des milliers de kilomètres de là, au Mali – c'est le début de l'opération *Serval*. Le commando chargé de libérer Denis Allex embarque à bord de six hélicoptères qui décollent du BPC *Mistral*, un navire polyvalent, à la fois porte-hélicoptères, centre de soins, et doté d'un poste de commandement. Le bateau croise non loin de la côte somalienne. Dans le ciel, des hélicoptères du COS et des avions de l'armée de l'air américaine sont prêts à intervenir si besoin, comme le révélera le président Barack Obama dans une lettre adressée au Congrès, au lendemain de l'opération.

Le raid a été prévu à une date bien précise : une nuit de pleine lune, qui garantit un clair-obscur naturel. Mais, en définitive, les cieux ne seront pas avec le commando français. Débarqués à plusieurs kilomètres du lieu de l'assaut, pour éviter d'attirer l'attention, les hommes du service Action convergent, apparemment sans encombre (bien que certains témoignages, non confirmés, évoquent de violents échanges de tirs sur le chemin), vers la villa où est enchaîné, à même le sol, l'otage français. Hélas pour les Français, l'un d'entre eux trébuche sur un homme qui dormait à l'extérieur de la villa, dissimulé sous une couverture. « Nos caméras thermiques ne l'avaient pas repéré », se lamente une source bien informée[1]. Cet homme déclenche l'alerte, avant d'être abattu.

---

1. Entretien avec l'auteur, janvier 2018.

Aussitôt, l'opération tourne à la bataille rangée. Les Français tentent de pénétrer à l'intérieur de la villa en faisant sauter un mur d'enceinte, mais ils ne peuvent plus bénéficier de l'effet de surprise. Lourdement armés, davantage que ne l'avait prévu la DGSE, les Shebabs répliquent violemment. Plusieurs d'entre eux sont tués, mais deux membres du commando français trouvent eux aussi la mort. Quant à l'otage Denis Allex, il est, semble-t-il, exécuté pendant l'assaut, au moment où ses geôliers craignent de perdre le contrôle de la situation.

L'opération préparée pendant des mois se solde donc par un échec tragique. Et le bilan aurait pu être bien plus lourd : deux robustes hélicoptères Tigre français du COS doivent intervenir en urgence sur les lieux pour permettre au commando de battre en retraite, avant de rejoindre le navire. Au final, non seulement les camarades de Denis Allex n'ont pas pu le sauver, mais ils comptent deux pertes supplémentaires, et – détail cruel – la dépouille de l'un d'entre eux est restée sur le sol somalien.

À l'image de la célèbre photo où l'on aperçoit Barack Obama et Hillary Clinton le visage blême, scrutant par écran interposé l'assaut mené par les *Navy Seals* contre la villa de Ben Laden, le directeur de la Stratégie Rémi Maréchaux a suivi en direct, aux côtés des hauts responsables de la DGSE, toute l'opération menée en Somalie. Un souvenir qui le marquera sans doute à jamais.

Au lendemain de ce terrible échec, quelque peu occulté par l'accélération de l'Histoire au Mali, où la France est en train de lancer sa plus importante opération militaire depuis la fin de la guerre d'Algérie, Paris promet que l'exécution de Denis Allex ne restera pas impunie. En clair : que sa mort et celle de ses deux camarades venus tenter de le libérer seront vengées. Il s'agit de signifier aux Shebabs, et au-delà à tous les « ennemis » de la France, qu'on ne tue pas l'un de ses espions sans s'exposer à des représailles.

S'agit-il de l'une des opérations « homo » (pour homicide) que François Hollande a avoué avoir ordonnées sous son quinquennat à deux journalistes du *Monde* (Gérard Davet et Fabrice Lhomme) – un aveu qui déclencha alors un beau scandale[1] ? En tout cas, la France tiendra parole et le fera savoir. En septembre 2014, le chef des Shebabs, Ahmed Abdi (dit Godane), est tué en Somalie par une frappe de l'armée américaine. L'Élysée indique immédiatement que ce raid a été mené grâce à un renseignement fourni par les services français. Tout le travail accompli pour espérer libérer Denis Allex n'aurait donc pas été vain, si l'on en croit ce haut responsable français : « On a accumulé énormément de renseignements et acquis une connaissance très fine de la nébuleuse islamiste en Somalie, supérieure même à celle des services américain et britannique, assure-t-il. Quand

---

1. Gérard Davet, Fabrice Lhomme, *Un Président ne devrait pas dire ça...*, Paris, Stock, 2016. Lire aussi à ce sujet : Vincent Nouzille, *Les Tueurs de la République*, Paris, Fayard, 2015.

les Américains mènent une opération sur place, une fois sur deux, c'est sur un renseignement français[1]. »

L'Afrique à la DGSE, couleur kaki

Si à Paris on tente de plus en plus de collaborer en bonne intelligence, sur le terrain c'est encore une autre affaire. Au sein des ambassades, suivant les personnalités du numéro un et de l'agent de la DGSE (généralement affublé du titre de « deuxième secrétaire »), l'ambiance peut être cordiale ou glaciale. Sous un même toit cohabitent en effet deux logiques bien différentes, pour ne pas dire opposées : celle du diplomate, qui agit officiellement au nom de la France et rend compte à Paris ; celle de l'espion, qui communique d'abord avec sa hiérarchie, *via* ses propres moyens cryptés de transmission, et partage – parfois – quelques miettes de renseignement avec ses collègues du Quai d'Orsay.

« Certains agents se méfient beaucoup d'ambassadeurs qu'ils jugent "stockholmisés", trop proches du président du pays hôte, confie un diplomate français. Du coup, ils ne lâchent rien, de peur que cela fuite auprès des autorités, mettant en danger leur source. » D'autres se montrent plus ouverts, mais juste ce qu'il faut : « Le type de la DGSE me transmettait quelques notes sur l'environnement régional, jamais sur le pays où nous nous trouvions », se souvient ainsi un ancien ambassadeur en poste dans

---

1. Entretien avec l'auteur, 19 février 2018.

l'Afrique des Grands Lacs[1]. Et il ajoute : « L'Afrique, c'est le bac à sable des troupes de marine et des militaires de la DGSE. Fondamentalement, on sent bien que, nous, les diplomates, on les dérange. »

L'Afrique, ou du moins l'ex-Empire français en Afrique de l'Ouest et centrale, domaine réservé des militaires... Cette réalité se ressent aussi directement Boulevard Mortier, où le secteur « N » de la « Boîte » fait un peu bande à part. Au moment où il crée la direction de la Stratégie à la DGSE, Claude Silberzahn décide aussi d'injecter plus de civils au sein de ses différents services. Fraîchement diplômé de Sciences Po, Arnaud Danjean (aujourd'hui député européen) rejoint ainsi le service Europe, avant d'être parachuté à Sarajevo durant la guerre de Bosnie. Il jouera par la suite un rôle important dans le conflit au Kosovo (1999-2000), en établissant un contact direct avec le chef politique de la rébellion albanophone de l'UCK, Hashim Thaçi. Ce que nombre de militaires pro-Serbes, au sein de la DGSE et au-delà, lui reprocheront d'ailleurs amèrement.

« Silberzahn cherche alors à inverser le ratio militaires/civils en faveur des seconds », raconte Arnaud Danjean[2]. Toutefois, jusqu'à aujourd'hui, la couleur dominante du secteur « N » continue d'être le kaki. Son chef est toujours un militaire, et la plupart des chefs de poste en Afrique demeurent, eux aussi, des militaires. « Même les analystes boulevard Mortier

---

1. Entretien avec l'auteur, 14 février 2018.
2. Entretien avec l'auteur, 12 juin 2017.

sont majoritairement des officiers, bien que cela évolue lentement », ajoute le député.

Dans certains cas, les rapports au sein des ambassades sont facilités par le fait que le numéro un n'est pas diplomate de formation, mais lui aussi un militaire de carrière, parfois même très bien introduit Boulevard Mortier. Ancien patron de la force Licorne en Côte d'Ivoire, puis chef du CPCO (Centre de planification et de conduite des opérations), le cœur battant de l'état-major des armées, le général Emmanuel Beth (décédé en avril 2018) a été ambassadeur, de 2010 à 2013, au Burkina Faso, où a pu s'installer dès 2010 un détachement des forces spéciales, avec l'aval du président Blaise Compaoré (lire chapitre II). Qui commandait alors le COS à Paris ? Frédéric Beth, le frère de l'ambassadeur. Après le COS, ce dernier sera nommé… directeur de cabinet à la DGSE, boulevard Mortier. C'est de Ouagadougou qu'un commando des forces spéciales décollera pour tenter, en vain, de libérer les deux jeunes Français enlevés en janvier 2011 dans un petit restaurant de Niamey, au Niger (voir chapitre suivant).

Dans cette zone sahélienne travaillée par le salafisme et gangrenée par les trafics en tous genres, Emmanuel Beth disposait d'un profil séduisant, notamment vis-à-vis du président burkinabé, lui-même militaire, Blaise Compaoré, et de son chef d'état-major et homme de confiance, le général Gilbert Diendéré. Il arrivait que Beth et Diendéré sautent en parachute ensemble, histoire d'entretenir leur forme physique, mais aussi leurs bons rapports.

Un accélérateur de carrière

Autre profil sécuritaire affirmé, éloigné des canons traditionnels du Quai d'Orsay : celui de l'actuel ambassadeur en Côte d'Ivoire, Gilles Huberson. Gendarme de formation, lui aussi formé à Saint-Cyr et apparemment bien connecté avec les services, c'est un homme d'action, un fonceur. En 2012, il est parachuté au Mali par son ministre, Laurent Fabius, d'abord pour s'occuper du dossier sensible du Nord et des relations avec les Touareg, puis il est nommé au débotté ambassadeur à Bamako, en lieu et place d'un diplomate pur sucre, Christian Rouyer, jugé trop timoré à Paris.

Pour un diplomate français, Abidjan est l'un des postes les plus enviés sur le continent africain (avec Dakar). Pour Gilles Huberson, cette ambassade apparaît surtout comme une récompense pour bons et loyaux services. L'ancien gendarme, qui a rejoint le Quai d'Orsay sur le tard, a fait son chemin en exploitant au mieux son profil sécuritaire et sa proximité avec le monde du renseignement. On le dit proche, notamment, d'un autre gendarme de formation, Michel Roussin, ex-ministre de la Coopération sous Édouard Balladur et surtout lui-même ancien directeur de cabinet du patron du SDECE, Alexandre de Marenches, dans les années 1970[1].

Gilles Huberson fait partie de cette race de diplomates dont l'intimité avec le monde du renseignement fait office d'accélérateur de carrière. C'est

---

1. Jean-Christophe Notin, *Alexandre de Marenches, le Maître du secret*, Paris, Tallandier, 2018.

le cas, entre autres, pour l'un de ses prédécesseurs à Abidjan, l'ambassadeur Jean-Marc Simon. Aujourd'hui à la retraite, il a démarré modestement : doté d'une maîtrise de droit public, il entre au Quai comme simple rédacteur. Sa rencontre avec Michel Roussin et son entrée dans les réseaux chiraquiens vont lui permettre de gravir rapidement les échelons, et ainsi de se retrouver propulsé à la tête d'ambassades où la France des militaires et du renseignement joue un rôle éminent : à Bangui (Centrafrique), puis à Libreville (Gabon), où il assiste à l'agonie d'Omar Bongo.

Nommé dans la foulée à Abidjan, ce sera le sommet de sa carrière. Jean-Marc Simon joue un rôle de premier plan durant la crise qui suit la présidentielle en Côte d'Ivoire, fin 2010[1]. Cet homme aux cheveux argentés, un colonel de réserve qui aime enfiler l'uniforme quand l'occasion s'y prête, oblige quasiment *manu militari* le président de la Commission électorale Youssef Bakayoko à annoncer les résultats qui donnent Laurent Gbagbo perdant face à Alassane Ouattara.

Quelques semaines plus tard, le 11 avril 2011, c'est encore lui qui convainc le président Nicolas Sarkozy de donner l'ordre à l'armée française de cerner la résidence de Gbagbo dans le quartier de Cocody, à Abidjan, transformée en bunker, pour permettre son arrestation par les forces loyales à Ouattara, et ainsi mettre fin à la crise post-électorale qui a fait

---

1. Jean-Marc Simon, *Secrets d'Afrique*, Paris, Le Cherche-Midi, 2016.

environ trois mille morts. Après cet épisode mouve-menté, Nicolas Sarkozy lui octroie le titre exception-nel et prestigieux d'« ambassadeur de France », qu'il pourra conserver à vie. Une véritable apothéose pour cet homme taiseux qui, depuis, s'est reconverti dans le business privé. Notamment avec la Côte d'Ivoire[1].

Si la méfiance entre diplomates du Quai et es-pions de la DGSE ne sera sans doute jamais tota-lement surmontée, chacun sent bien qu'il a besoin de l'autre. Ainsi, en novembre 2004, au plus fort de la crise entre Français et Ivoiriens, suite au bombar-dement d'un campement tricolore à Bouaké qui fit neuf morts parmi les soldats de la force Licorne, le contact fut rompu entre les deux pays, l'ambas-sadeur Gildas Le Lidec n'ayant plus accès au pré-sident Laurent Gbagbo. Mais les canaux n'étaient pas totalement coupés. Pendant plusieurs jours, c'est le chef de poste de la DGSE à Abidjan qui prit le relais. Un colonel de l'armée française.

---

1. Thomas Hofnung, « Jean-Marc Simon, l'ambassadeur décomplexé », *Le Monde*, 24 juin 2016.

CHAPITRE VIII

Nos patrons en guérilla à Paris

« Alors, il paraît que vous êtes fâchés tous les deux ? » C'est un Premier ministre légèrement goguenard, Manuel Valls, qui interpelle en ces termes deux des responsables les plus importants de la galaxie de la défense en France. Nous sommes en 2013, et Bernard Bajolet, le nouveau patron de la DGSE, et Jean-Yves Le Drian, le ministre de la Défense, ne se parlent déjà quasiment plus.

S'il a pris un tour personnel entre le grand commis de l'État droit dans ses bottes et le grand manitou habile du ministère, le conflit est d'abord institutionnel. Le statut à part de la DGSE et la volonté de l'équipe Le Drian d'affirmer son autorité sur tous les secteurs placés théoriquement sous sa responsabilité y sont pour beaucoup. Dans l'organigramme de l'État, les espions du Boulevard Mortier sont en effet placés sous la tutelle administrative de la Défense. Mais dans les faits, la DGSE est un instrument à la main du chef de l'État, un domaine réservé au cœur du domaine réservé. Une bizarrerie à la française, qui est passée dans les usages de l'État.

Sauf que, dès sa mise en action, le duo Le Drian-Lewandowski est déterminé à faire rentrer dans le rang les têtes qui dépassent, profitant du peu d'appétence de François Hollande pour les questions de sécurité. Problème : avec Bernard Bajolet, ils vont tomber sur un os. Cet ancien ambassadeur tout terrain – en poste à Bagdad, Amman, Alger, Kaboul, Sarajevo – est un intime du chef de l'État, qu'il tutoie. Les deux hommes se connaissent depuis que le futur président, alors élève à l'ENA, a fait son stage à l'ambassade de France à Alger, en 1978... sous la direction du second. Cela crée des liens.

Froid polaire
entre la Défense et la DGSE

Quand François Hollande est élu à l'Élysée, en mai 2012, la « Boîte « est dirigée par l'ancien préfet des Hauts-de-Seine, Erard Corbin de Mangoux, un « Sarkozy boy ». Pour lui succéder Boulevard Mortier, en mars 2013, le tandem Le Drian-Lewandowski a son candidat. On évoque les noms de Jean-Claude Mallet, un proche conseiller de Le Drian, ou celui de Louis Gautier, ancien conseiller à la Défense auprès de Lionel Jospin (entre 1997 et 2002) et qui sera finalement nommé en 2014 à la tête du SGDSN (Secrétariat général de la Défense et de la Sécurité nationale). Mais le Président a une autre idée en tête : dès son entrée en fonction, il a appelé Bernard Bajolet à Kaboul pour le sonder sur ses intentions et, à l'orée du printemps 2013, il lui confirme sa nomination. La déception est grande du côté du ministère de la Défense.

Jean-Yves Le Drian ne désarme pas pour autant, et saisit la première occasion pour rappeler à Bernard Bajolet que la DGSE est placée sous son autorité. Celui-ci fait mine d'approuver... tout en refusant de se rendre aux réunions organisées au ministère par Cédric Lewandowski. Il décide d'y envoyer systématiquement l'un de ses conseillers. Le clash est inévitable entre ces deux crocodiles placés dans le même marigot : il finit par se produire dans le bureau du bras droit de Le Drian, quand le numéro un de la DGSE lâche le morceau : il n'a qu'un seul patron, le chef de l'État ! Cédric Lewandowski est furieux. La rupture est consommée entre les deux hommes, et elle sera lourde de conséquences pour la gestion de certains dossiers, en particulier celui des otages (lire chapitre IX).

Pourtant, Bajolet et Lewandowski se connaissent bien : au début du mandat de Nicolas Sarkozy, tous deux participaient aux réunions d'un club informel baptisé le « groupe de décèlement précoce ». Celui-ci se réunissait environ un samedi par mois à l'Élysée pour passer en revue tous les sujets considérés comme « stratégiques » pour le pays. Sous l'autorité de Claude Guéant, alors secrétaire général de l'Élysée, un aréopage de têtes pensantes phosphorait sec. Parmi eux, le criminologue Alain Bauer (un proche de Manuel Valls et de Nicolas Sarkozy), Philippe Delmas (Airbus), Valérie Derouet-Mazoyer (EADS, Areva, etc.), le diplomate Éric Danon, l'essayiste Xavier Raufer, le patron de la police nationale Frédéric Péchenard, mais aussi Bernard Bajolet, alors coordonnateur national du renseignement, et Cédric Lewandowski, directeur de cabinet du P-DG d'EDF, François Roussely.

Au début du quinquennat de Hollande, même en froid polaire, les deux hommes sont amenés à se croiser, notamment lors des conseils restreints de la Défense autour du président de la République. Les voilà contraints de se parler. Mais à l'automne 2013, c'est l'affaire de trop : la libération des derniers otages français enlevés à Arlit au Niger trois ans auparavant. Un article paru dans *Le Monde*[1] met le feu aux poudres en racontant par le menu les conditions de leur récupération, le versement d'une rançon faramineuse et l'intervention d'un ancien du Boulevard Mortier, Pierre-Antoine Lorenzi, alias PAL, activé par le cabinet Le Drian dans le dos de Bajolet. La direction de la DGSE évoque une imposture pure et simple (lire chapitre IX). En est-elle vraiment sûre ? Contraint au silence, le patron de la « Boîte » fulmine. Bajolet et Le Drian ne se verront plus que tous les deux mois environ jusqu'à la fin du quinquennat de Hollande.

---

1. Jacques Follorou, « Les otages d'Arlit : les dessous d'une négociation », *Le Monde*, 30 octobre 2013.

Le service Action
dans le viseur des forces spéciales

Cette guerre de tranchées au sommet de l'État est attisée, au même moment, par la montée en puissance du Commandement des opérations spéciales (le COS), la force d'élite de l'armée française. Sous son quinquennat, Nicolas Sarkozy ne jurait déjà que par lui, séduit par l'agilité et la réactivité de cet instrument à sa main, dont il a pu notamment apprécier les performances lors de l'opération *Harmattan* en Libye, en 2011. Sous l'influence de son chef d'état-major particulier, le général Benoît Puga, qui a lui-même dirigé le COS, le locataire de l'Élysée a une nette tendance à privilégier le Commandement au détriment du service Action de la DGSE : le SA.

Les uns et les autres sont tous des militaires, mais il existe une différence fondamentale entre eux : le COS agit en tenue, tandis que les hommes du SA sont en civil. Cette distinction vestimentaire n'est pas que de pure forme : les agents du bras armé de la DGSE sont appelés à agir de manière clandestine, quand l'État ne peut pas assumer publiquement une action. S'ils se font prendre, comme lors de la tristement célèbre affaire du *Rainbow Warrior* en Nouvelle-Zélande, en 1985, le gouvernement de la République n'est pas censé être au courant.

Durant son quinquennat, Nicolas Sarkozy exprime ouvertement ses réticences vis-à-vis du service Action et de sa culture du secret, qu'il assimile visiblement à de la barbouzerie. Alors qu'au large des côtes de

la Somalie, les pirates multiplient les arraisonne-
ments de navires marchands et les prises d'otages
sur des bateaux de plaisance, dont certains sont français, la DGSE propose au chef de l'État d'attaquer
les « bateaux-mères », ceux qui en mer supervisent
les assauts. Mais, d'après l'un des participants à cette
réunion, Nicolas Sarkozy décline : « Une opération
clandestine ? Cela ne sert à rien, on est 12 autour
de cette table, il y en a bien un qui écrira un jour
ses Mémoires. »

Les militaires du COS tentent de pousser leur
avantage. En 2008, ils sont intervenus avec succès
lors d'une spectaculaire opération menée sur le territoire de la Somalie pour appréhender des pirates
qui avaient pris d'assaut le *Ponant* et venaient de
toucher une substantielle rançon en échange de la
libération de leurs otages. Les pirates ont été arrê-
tés, et l'argent récupéré par les militaires français.

Le SA connaît de son côté un revers important
dans le Sahel. À l'été 2010, la DGSE pense avoir
localisé le lieu où est retenu depuis des mois Michel
Germaneau, un retraité amoureux du désert, enlevé
alors qu'il visitait dans le Nord du Niger l'école que
son association a contribué à financer. La « Boîte »
propose au gouvernement d'envoyer le SA pour le
récupérer. Mais il lui faudra d'abord vaincre les réticences du Président : celui-ci penche plutôt pour
une intervention du COS, avant de se ranger aux
arguments de la DGSE. Le raid doit en effet avoir
lieu sur le territoire d'un État souverain, sans son
accord formel, qui plus est avec l'aide des forces

d'un État voisin, la Mauritanie... Mais cette audacieuse opération clandestine va rater sa cible : l'otage français n'est pas là où la DGSE pensait le trouver, et sa mort sera annoncée peu de temps après par AQMI en représailles au décès de sept de ses hommes lors de ce raid franco-mauritanien, premier du genre.

Quelques mois plus tard, en janvier 2011, ce sont les hommes du COS qui, cette fois, reçoivent l'ordre de stopper coûte que coûte les ravisseurs de deux jeunes Français, Vincent Delory et Antoine de Léocour, enlevés dans un petit restaurant à Niamey, la capitale du Niger. À bord d'hélicoptères, les forces spéciales décollent de l'aéroport de Ouagadougou et se lancent aux trousses du commando. Alors que les 4x4 des ravisseurs approchent de la frontière avec le Mali, les militaires français ouvrent le feu sur le convoi. L'opération se solde par un fiasco : les deux jeunes Français sont tués, l'un à bout portant par l'un des terroristes, l'autre au cours des échanges de tirs nourris qui éclatent entre les soldats du COS et les hommes d'AQMI[1].

Ce douloureux épisode est bientôt suivi par un autre échec, tout aussi douloureux, celui de l'opération menée, en janvier 2013, par le service Action en Somalie pour tenter de libérer l'un des siens, Denis Allex. Un haut responsable de la DGSE réfute pourtant le terme de « fiasco » : « On a quand même réussi à localiser très précisément notre otage

---

1. Violette Lazard, Thomas Hofnung, « Otages du Niger : l'assaut vu par les commandos », *Libération*, 22 avril 2012.

et on y était presque[1]... » Ces échecs répétés – tant du côté COS que du côté SA – vont mettre un coup d'arrêt à ce type de tentatives de libération de « vive force ». Retour à la voie de la négociation, moins dangereuse pour les otages mais pas moins périlleuse pour l'État (lire chapitre ix).

À son arrivée aux affaires rue Saint-Dominique, au printemps 2012, l'équipe de Le Drian semble, elle aussi, sur le point de succomber au charme kaki du COS, qu'elle estime pouvoir contrôler plus facilement que le SA. Une conviction renforcée par les résistances de l'insaisissable Bernard Bajolet. Dans les cercles du pouvoir, on évoque alors de plus en plus ouvertement une possible fusion entre ces deux corps, le COS devant absorber le SA. Mais le patron de la DGSE monte en première ligne pour défendre un instrument qu'il juge indispensable au bon fonctionnement de l'État, afin de pouvoir mener des actions clandestines « non revendicables par l'État », comme il l'explique lui-même[2]. Il obtiendra finalement gain de cause.

Toutefois, même si – officiellement – tous les services de l'État sont en ordre de bataille pour la défense des intérêts du pays durement frappé sur le territoire national par le terrorisme à partir de 2015, la tension reste forte entre COS et SA. Le tragique épisode qui s'est déroulé sur le territoire libyen, le 17 juillet 2016, a contribué à l'exacerber. Ce jour-là,

---

1. Entretien avec l'auteur, 23 mars 2018.
2. « Au cœur de la DGSE », entretien avec Barnard Bajolet, *Politique internationale*, automne 2016.

un mystérieux hélicoptère s'écrase dans la région de Benghazi (dans l'Est de la Libye). À son bord, trois sous-officiers français. Le ministère de la Défense reconnaît rapidement leur mort, évoquant laconiquement des hommes « en service commandé ». Une périphrase qui renvoie au service Action. Il n'y a pas si longtemps, comme lors du conflit en Afghanistan[1], cette information « Confidentiel Défense » aurait été passée totalement sous silence par les autorités françaises. Mais le gouvernement préfère désormais devancer de possibles fuites.

Cet accident va provoquer d'importants remous au sein de l'appareil sécuritaire français. Car, au même moment, plus à l'ouest dans ce pays profondément fracturé, des soldats du COS épaulent le gouvernement de Tripoli, reconnu par la communauté internationale – et donc par Paris… – en conflit avec la faction rivale de Benghazi, dirigée par le général Khalifa Haftar. Les autorités de Tripoli apprennent ainsi avec stupeur et colère que les Français ont plusieurs fers au feu. Le gouvernement libyen d'union nationale accuse Paris de « violation » de son territoire. Rien ne « justifie une intervention », proteste-t-il, sans qu'il en soit informé[2].

Mais le gouvernement de Tripoli n'est pas le seul à découvrir le pot aux roses. C'est aussi le cas du COS. Mises devant le fait accompli, et devant la fureur de

---

1. Jean-Christophe Notin, *La Guerre de l'ombre des Français en Afghanistan*, Paris, Fayard, 2011.

2. Cyril Bensimon et Frédéric Bobin, « Trois membres de la DGSE tués en Libye, le gouvernement libyen proteste », *Le Monde*, 20 juillet 2016.

leurs alliés libyens, les forces spéciales françaises sont obligées de « démonter leur dispositif » dans l'urgence, comme l'explique un officier supérieur français[1]. Autrement dit, de décamper…

Aux yeux du cabinet Le Drian, cet épisode vient alourdir un peu plus le « dossier Bajolet », déjà bien épais. Mais le directeur général de la DGSE n'en démord pas : le SA doit agir dans la clandestinité la plus totale, pour éviter les fuites potentiellement dévastatrices pour ses agents. Aussi bien, d'ailleurs, vis-à-vis des services alliés (britannique et américain, notamment) que des autres organes de sécurité hexagonaux.

Dans le Sahel, péché d'orgueil et complexe de supériorité

« La DGSE souffre d'un complexe de supériorité, et nous d'un complexe d'infériorité. » L'ancien responsable de la Direction du renseignement militaire (DRM) qui s'exprime ainsi a pourtant tout tenté pour vaincre ce syndrome[2]. À l'abri des murs épais de l'ancienne caserne du boulevard Mortier, la « Piscine » suscite bien des jalousies. Parce qu'elle veille scrupuleusement à préserver ses secrets et son autonomie, et surtout parce qu'elle garde le contrôle du formidable outil technologique qui lui permet d'intercepter les communications internationales.

---

1. Entretien avec l'auteur, 14 septembre 2017.
2. Entretien avec l'auteur, 20 janvier 2018.

Au fil des ans, profitant des moyens financiers supplémentaires dégagés par l'État après les attentats de 2015 pour étoffer ses équipes, sa Direction technique est montée en puissance. Elle regroupe aujourd'hui près du tiers des effectifs de la « Boîte », soit environ 2 000 personnes, dont un bon quart d'ingénieurs de haute volée, issus de la fine fleur des grandes écoles. « Pour attirer les meilleurs (sortis de Polytechnique, des Mines, de Centrale, etc.), l'agence a même bénéficié, discrètement, d'exceptions sur la grille des salaires de la fonction publique », assure un ex-ambassadeur sur le continent africain[1].

Certes, contrôle n'est pas censé rimer avec monopole, et la DGSE est tenue de jouer les prestataires de services en répondant aux demandes des autres maisons, à commencer par celles de la DGSI et de la DRM. Mais, dans les faits, c'est bien elle qui gère, et donc hiérarchise les commandes. On comprend mieux pourquoi l'ancien patron de la DRM, le général Christophe Gomart, milite ardemment pour une restructuration des services français avec la création d'« une grande agence technique, sur le modèle du GCHQ (*Government Commmunications Headquarters)*, qui serve tous les services[2]. » Et il ajoute : « Seule une agence technique autonome, individualisée, permettra une diffusion équitable et efficace du renseignement technique, basée non pas sur le rattachement administratif à une direction ou

---

1. Entretien avec l'auteur, 6 avril 2018.
2. Alain Bauer, Marie-Christine Dupuis-Danon, *Les Guetteurs*, Odile Jacob, 2018, p. 252-267.

à une autre, mais sur la justification d'un besoin. » Pas besoin d'une boule de cristal pour savoir qui est visé par ce message.

Le général Gomart, qui a commandé le COS avant de diriger la DRM et de finalement quitter l'armée en 2017 pour passer dans le privé, écrit encore ceci, insistant à nouveau très clairement sur la notion d'équité : « Les exemples du Sahel et de l'Irak sont parlants : il s'agit de théâtres où terrorisme et groupes armés sont étroitement liés. Chaque direction, motivée par des besoins en renseignement militaire ou politique, doit pouvoir s'appuyer sur des ressources techniques équitablement réparties[1]. »

Le galonné parle d'expérience. Dans la répartition institutionnelle des missions entre services, la DGSE s'occupe des groupes terroristes, la DRM des groupes armés. Mais dès le lancement de l'opération *Serval* au Mali, Christophe Gomart demande aux autorités de tutelle le *lead* en matière de renseignement sur le terrain, tous groupes confondus. Et l'obtient. La DRM a là l'occasion de faire ses preuves et d'en remontrer à la DGSE. Pour y parvenir, elle pense avoir quelques atouts. Depuis peu, la DRM – forte de 1 800 personnes et d'un budget en nette augmentation en 2018 – peut elle aussi recruter des informateurs (des « sources »), qu'elle rétribue grâce aux fonds secrets alloués par l'État. Par ailleurs, à la faveur du déploiement du dispositif des forces spéciales dans les pays du Sahel (voir chapitre II), le service de renseignement de l'armée

---

1. *Ibid.*

a commencé à ratisser le terrain pour collecter ses propres informations. L'idée est d'alimenter le COS, chargé de frapper les « HVT » *(High Value Targets)*, autrement dit les chefs de file des groupes djihadistes toujours actifs dans la zone.

Mais, rapidement, malgré quelques trophées de première catégorie accrochés au fil des mois au tableau de chasse des forces françaises de l'opération *Barkhane* (qui a succédé à *Serval* à l'été 2014), la DRM a l'impression désagréable de faire du surplace. L'ennemi public numéro un, Iyad ag-Ghaly, notamment, est toujours dans la nature. À l'automne 2013, déjà, le renseignement français n'avait pas su anticiper la brutale dégradation de la situation sécuritaire à Kidal, où les deux journalistes français de RFI, Ghislaine Dupont et Claude Verlon, sont enlevés et exécutés dans la foulée par leurs ravisseurs (lire chapitre x).

« La DGSE nous a certes cédé le *lead* dans le Sahel, mais en définitive elle nous a laissés nous débrouiller tous seuls, confie amèrement un haut gradé. Mortier s'est bien gardé de partager ses sources, ou même de nous transmettre le renseignement à haute valeur ajoutée dont nous avions besoin[1]. » Dans l'immensité du désert saharo-sahélien, la DRM fait alors la cruelle expérience de ses limites : ses officiers de renseignement ne restent pas suffisamment longtemps en poste pour glaner l'information qui, au final, fera la différence. Dans ce combat de l'ombre, le renseignement technique – les interceptions mais

---

1. Entretien avec l'auteur, 20 janvier 2018.

aussi l'imagerie satellitaire, gérée par la DRM – ne peut pas tout face à des djihadistes qui se savent écoutés, scrutés, traqués, et ont appris à communiquer le moins possible, ou en prenant un maximum de précautions. Le renseignement humain conserve une importance primordiale. Et, dans ce domaine, la DGSE a l'antériorité et l'expérience qui font défaut aux autres services.

La DRM a-t-elle péché par excès d'orgueil et de naïveté vis-à-vis de la « Piscine » ? La DGSE reste, du fait de sa culture et son histoire, « une boîte noire », confie un diplomate. « L'agence ne partage pas ses infos avec les autres services, le cloisonnement est total, d'ailleurs la centrale ne partage même pas tout ce qu'elle sait avec ses chefs de poste sur le terrain, ajoute-t-il. D'une certaine manière, de là où j'étais au Quai d'Orsay, grâce aux notes que je recevais chaque jour, j'avais une meilleure vision de la situation que celle des agents déployés sur place[1]. »

De son côté, un ancien patron de la DRM (entre 2001 et 2005), André Ranson, résume bien la situation quand il constate : « La DGSE a une culture bien particulière qui est de travailler en mode centralisé : tout ce qui remonte du terrain va à la centrale et la centrale en dispose comme elle l'entend. Elle diffuse ou ne diffuse pas et, si elle diffuse, ce sont exclusivement des analyses synthétisées mais jamais de l'information brute[2]. »

---

1. Entretien avec l'auteur, 17 mai 2017.
2. Alain Bauer, Marie-Christine Dupuis-Danon, *op.cit.*, p. 151-166.

La DGSE n'est pas prêteuse

La détermination de la « Boîte » à garder le monopole du renseignement collecté grâce à des réseaux patiemment bâtis au fil du temps n'empêche pas, jusqu'à un certain point, le renforcement de la coordination entre les différents services de renseignement et de sécurité, voulu par l'autorité politique. Disons que tout est affaire de dosage. « Avant la création en 2008 du poste de CNR, on assistait à un jeu de poker menteur entre les patrons des services, remarque Ange Mancini, qui assuma cette fonction de 2011 à 2013. C'était à celui qui en dirait le moins[1]… »

À la suite du lancement de l'opération *Serval*, la DGSE détache l'un de ses agents auprès du COS à Ouagadougou. « On a bien bossé ensemble, assure un haut responsable militaire impliqué de près dans le dossier Sahel. La "Boîte" a bien vu l'intérêt de travailler avec nous[2]. » Le ciblage des HVT est une œuvre collective, en amont, notamment au sein de la cellule interservices Hermès installée au cœur de l'état-major des armées à Paris[3]. Mais, sur le terrain, c'est bien le COS, mieux outillé pour mener des opérations difficiles sur le plan logistique, qui est à la manœuvre.

---

1. Entretien avec l'auteur, 27 novembre 2017.
2. Entretien avec l'auteur, 20 janvier 2018.
3. La cellule Hermès regroupe des membres de sept services de sécurité et de renseignement. Elle est installée à Balard, au sein du ministère de la Défense, plus précisément au CPCO de l'état-major des armées.

À Paris, à partir du lancement de *Serval* début 2013, se tient trois fois par jour au ministère de la Défense, rue Saint-Dominique, une réunion rassemblant les patrons – ou leurs bras droits – des services de sécurité et de renseignement pour mieux coordonner les efforts des uns et des autres sur le terrain. C'est Cédric Lewandowski qui dirige, ouvrant même la porte de son bureau à une équipe de France 2. Celle-ci filme la scène, montrant des responsables quelque peu interloqués de se retrouver sous l'œil inquisiteur d'une caméra, comme des lapins pris dans les phares d'une voiture. Après quoi, à l'issue de cette réunion, on peut voir dans le même reportage Cédric Lewandowski briefer son ministre, Jean-Yves Le Drian. Comme si les rôles et les fonctions étaient quasiment inversés.

Fondamentalement, malgré les efforts de rapprochement, plus ou moins sincères, les buts et les méthodes des uns et des autres divergent, et sont difficilement conciliables, même si chacun poursuit le même objectif fondamental : réduire les menaces qui pèsent sur la sécurité et les intérêts de la France. Certes, comme la DRM et le COS, la DGSE cherche à éliminer les chefs djihadistes pour, à défaut d'annihiler tout danger, asséner des coups à l'adversaire, le désorganiser, l'empêcher de reprendre de la vigueur. D'ailleurs, n'est-ce pas ce qu'elle fait dans le Sahel depuis les années 2000 ? Selon l'historien Jean-Christophe Notin[1], le SA aurait ainsi neutralisé (ou

---

1. Jean-Christophe Notin, *La Guerre de la France au Mali*, *op. cit.*

fait neutraliser, *via* ses alliés sur le terrain) des dizaines de « terroristes ». Mais, alors que les armées ou les agents de la DGSI recueillent du renseignement pour agir et neutraliser au plus vite la menace, la DGSE peut, quant à elle, chercher à reculer l'échéance si elle estime avoir la possibilité d'engranger du renseignement à très haute valeur ajoutée.

Selon un ancien de la « Boîte », aujourd'hui reconverti dans le privé, la DGSE s'est ainsi opposée à la volonté de l'état-major des armées de frapper tous azimuts les chefs des réseaux djihadistes dès le début de l'opération *Serval* : « L'armée voulait liquider l'ensemble des leaders identifiés par la DGSE (qui avait répertorié tous leurs numéros de GSM et de téléphones satellitaires Thuraya depuis longtemps), mais celle-ci a obtenu qu'on épargne certaines sources en arguant qu'elle risquait de devenir aveugle sur la zone[1]... » Et, notamment, de perdre le fil pour tenter de faire libérer les otages français alors aux mains des groupes djihadistes. On comprend mieux ce constat désabusé et quelque peu surprenant d'un ponte de la DRM : « Quand *Serval* a été lancé, on a demandé à Mortier de nous donner les localisations des chefs djihadistes et, à notre grande surprise, ils n'en savaient rien... » Vraiment ? Espion un jour, espion toujours : la DGSE n'est pas prêteuse.

Sa discrétion, sa volonté manifeste de préserver ses sources, agace, voire exaspère. Même ceux qui connaissent bien la boutique. C'est le cas de Patrick

---

1. Entretien avec l'auteur, Paris, 27 novembre 2017.

Calvar, qui a œuvré de 2009 à 2012 à la Direction du renseignement de la DGSE avant de prendre la succession de Bernard Squarcini à la tête de la DGSI. Malgré son passage Boulevard Mortier – ou à cause de cette expérience ? –, il n'est pas tendre avec la « Boîte ». À la toute fin du quinquennat de François Hollande, son dernier ministre de l'Intérieur, Bruno Leroux, organise un déjeuner réunissant les différents patrons du renseignement… qui vire rapidement au règlement de comptes. Entre la poire et le fromage, selon l'un des convives, Patrick Calvar reproche ainsi ouvertement à la DGSE son « hégémonisme ».

En cause, une fois de plus, son contrôle exclusif sur les interceptions. De guerre lasse, la DGSI s'est d'ailleurs dotée d'une plate-forme destinée à mieux gérer ses propres données. Problème : n'ayant pas trouvé son bonheur dans l'Hexagone, elle l'a achetée à un fournisseur étranger, la start-up américaine Palantir, réputée très proche de la CIA[1]. « Ce système a tout des allures d'un cheval de Troie », déplore un haut responsable de la DGSE, qui ne redoute pas les contradictions[2].

Entre les maisons de Levallois-Perret et le Boulevard Mortier, on se rend d'ailleurs coup pour coup. Sous la direction du « Squale », la DGSI a notamment pris un malin plaisir à marcher sur les terres de sa cousine en Afrique subsaharienne, remettant ainsi en cause un Yalta tacite entre services français.

---

1. Philippe Cohen-Grillet, « La CIA appelée au secours par l'antiterrorisme français », *Paris Match*, 7 décembre 2016.
2. Entretien avec l'auteur, 23 mars 2018.

Au gré des vicissitudes de l'Histoire, le renseignement intérieur a obtenu la possibilité de disposer de postes permanents au Maghreb et au Proche-Orient. C'est notamment le cas à Alger ou à Tripoli, mais aussi au Caire ou à Amman.

Or, à la faveur de l'intensification de la lutte antiterroriste, Squarcini s'est mis en tête de bousculer les vieilles habitudes : un poste permanent de la DGSI a ainsi été créé au Gabon, et confié initialement au policier Jean-Charles Lamonica (lire chapitre IV). Un officier supérieur, bien au fait des affaires africaines, résume la chose à sa façon[1] : « Squarcini a décidé de développer son propre réseau en Afrique pour emmerder la DGSE. »

Selon certains initiés, même s'il ne faut pas surestimer les moyens consacrés à l'étranger par la DGSI, il ne serait pas loin d'y être parvenu. « Les services de sécurité locaux aiment bien travailler avec la DGSI, car il s'agit de pure coopération, il n'y a pas ce soupçon permanent d'espionnage, confie un responsable d'une société de sécurité franco-suisse. D'ailleurs, les policiers sont plus libres de leurs mouvements que les agents de la DGSE et disposent d'éléments parfois plus pertinents[2]... »

C'est, peut-être, ce qui explique le refus de Patrick Calvar d'accepter une proposition intéressée de son collègue et ami Bernard Bajolet. Selon nos informations, ce dernier lui aurait proposé la création de postes communs DGSE-DGSI à l'étranger. Mais le

---

1. Entretien avec l'auteur, 20 janvier 2018.
2. Entretien avec l'auteur, 10 juin 2017.

patron de la DGSI n'aurait pas donné suite. « Il a répondu à Bajolet qu'une telle initiative risquait de jeter la suspicion sur le travail de la DGSI », raconte une source proche du dossier.

Guerre des services à Brazzaville

Loin d'être anecdotiques, ces tensions peuvent avoir des conséquences fâcheuses jusque chez les plus proches partenaires de la France sur le continent africain. Et voici comment le président du Congo-Brazzaville, l'inamovible Denis Sassou-Nguesso, figure de proue de la Françafrique et allié précieux de ses services de sécurité, s'est retrouvé récemment à accuser la DGSE de comploter contre lui pour tenter de le renverser. Lors d'un entretien en tête à tête à Brazzaville, comme on l'a vu précédemment, un haut responsable de la DGSE a même été obligé de jurer ses grands dieux qu'il n'en était rien (chapitre IV).

Galvanisés par les événements qui se sont déroulés au Burkina Faso à l'automne 2014, où des groupes de la société civile, bien organisés, notamment sur les réseaux sociaux, ont réussi à renverser le puissant président Blaise Compaoré, certains voudraient rééditer le même coup au Congo-Brazzaville, où doit se tenir une élection en mars 2016. Ils pensent pouvoir compter sur le soutien de certains relais parisiens très conscients du peu de sympathie éprouvée par l'équipe de François Hollande pour Sassou.

Après trente-trois ans à la tête du pays, ce dernier est passé maître dans l'art d'annihiler toute forme d'opposition par un savant mélange de pression physique, de cooptation dans les rouages du pouvoir et de séduction à coups d'espèces sonnantes et trébuchantes. Résultat, comme au Gabon voisin, l'opposition congolaise est morcelée, décapitée à intervalles réguliers et, au final, impuissante. Mais lors de cette élection du printemps 2016, les adversaires les plus résolus du régime de Sassou pensent avoir enfin trouvé leur champion en la personne du général Jean-Marie Michel Mokoko (alias J3M), un conseiller militaire du Président qui vient de rompre avec lui.

Cet ancien chef d'état-major de l'armée congolaise (entre 1987 et 1993) représente une menace sérieuse pour le pouvoir. Il est du Nord, issu du clan Mbochi – comme le Président – et a des relais puissants au sein de l'armée congolaise, mais aussi à l'étranger. Formé à Saint-Cyr au début des années 1970, il y a notamment côtoyé le général Elrick Irastorza, qui a commandé la force Licorne en Côte d'Ivoire au milieu des années 2000, avant de diriger l'armée de terre dans l'Hexagone. Selon des sources diplomatiques, Mokoko bénéficierait ainsi des discrets encouragements de l'amicale des anciens de Saint-Cyr, au sein de laquelle figurerait en bonne place le général Benoît Puga, le chef d'état-major particulier de François Hollande. Sous l'influence des africanistes du Palais (le tandem formé par Hélène Le Gal et Thomas Melonio), le Président n'est pas loin de considérer, lui aussi, que Sassou a fait son temps. Même s'il a approuvé publiquement la tenue d'un référendum constitutionnel, en octobre 2015, permettant à Sassou de rester au pouvoir *ad vitam aeternam*.

Le potentat de Brazzaville le sait bien. Est-ce pour cela qu'il prend très au sérieux la menace d'un possible coup d'État au moment de la présidentielle, qu'il remporte sans surprise le 20 mars 2016 avec officiellement plus de 60 % des voix, contre moins de 15 % pour le général Mokoko ? Ce dernier parle de « forfaiture » et refuse de reconnaître sa défaite. Accusé de préparer un coup de force, il est arrêté et jeté en prison. Le pouvoir de Sassou fonde ses soupçons sur une vidéo datant de 2007, qui réapparaît à ce moment précis. On y voit le général Mokoko discuter longuement d'un possible coup d'État avec un individu se présentant comme un agent de la DGSE. La scène a été filmée dans le cabinet d'un avocat à la réputation sulfureuse, proche de plusieurs dirigeants de la Françafrique. Mokoko évoque un « piège ».

Or, en ce même printemps 2016, le clan Sassou apprend la présence sur le sol du Gabon voisin d'un petit groupe de Français gravitant autour d'une société d'intelligence économique, Axis, basée à Paris et dirigée par un ancien militaire, Jean-Renaud Fayol, avec Bertrand de Turkheim, un ex-colonel de la DGSE. Considéré dans le milieu comme proche des services de renseignement, Fayol dit vouloir aider pacifiquement, aux quatre coins de la planète, les mouvements démocratiques face aux dictatures – de la Birmanie au Congo-Brazza, donc. Reconnaissant bien volontiers ses sympathies pour le général Mokoko, Fayol réfute formellement toute forme de barbouzerie, affirmant que son concours s'est limité à du conseil stratégique. Mais pour le régime de Sassou, la révélation de la présence de ce petit groupe est pain bénit : voilà de quoi alimenter le feu des accusations contre le général Mokoko, afin de le mettre définitivement hors jeu. Le rival de Sassou a été condamné, le 11 mai 2018, à vingt ans de prison ferme par la cour d'appel de Brazzaville pour « atteinte à la sûreté de l'État ». Tout comme ses sept co-accusés, les six Français et un Congolais, tous jugés par contumace et présentés comme des mercenaires par l'accusation.

Mais qui avait donc prévenu Brazzaville de la présence de ce petit noyau de militants-activistes français au Gabon ? Bernard Squarcini reconnaît volontiers avoir informé Sassou de ce « complot » en fournissant les écoutes téléphoniques (lire chapitre IV). Reconverti dans le privé, le « Squale » s'est rapproché de Sassou, avec lequel il est en affaire. Il ferait ainsi d'une pierre deux coups, réglant un contentieux personnel avec Fayol, qu'il accuse de vouloir nuire à ses intérêts, tout en accablant la maison concurrente de la DGSI.

Difficile, au bout du compte, de démêler le vrai du faux dans cette ténébreuse affaire à tiroirs, où chacun dispose de plusieurs agendas. Mais, au-delà du fin mot de cette histoire franco-congolaise aux relents de Françafrique, celle-ci est surtout révélatrice de la persistance de ces zones grises dans lesquelles évoluent et se débattent services, officines, communicants, avocats et politiques.

En ce printemps 2016, la DGSE n'avait sans doute pas pour mission de renverser Sassou, le vieux lion du Congo qui sait se montrer coopératif quand il le faut avec Paris. En revanche, savoir ce que peuvent tramer les opposants de Sassou, y compris avec le concours d'activistes français, entre bien dans les attributions de la « Boîte ». Ne serait-ce que pour avoir le contact et rebondir au cas où...

CHAPITRE IX

Nos otages et nos réseaux rivaux

Pas un cri de joie, plutôt un gémissement. Ce 30 octobre 2013, la porte de l'avion siglé aux couleurs de la République française vient de s'ouvrir sur l'aéroport militaire de Villacoublay, près de Paris. Un à un, les quatre otages enlevés à Arlit, au Niger, il y a plus de trois ans descendent de l'aéronef. Soudain, l'apparition de Daniel Larribe arrache ce cri sourd à sa femme, Françoise, kidnappée en même temps que lui, mais libérée bien plus tôt, en février 2011.

Ce jour-là, il fait un soleil radieux sur Paris. Le président François Hollande l'est tout autant, comme ses ministres des Affaires étrangères et de la Défense, Laurent Fabius et Jean-Yves Le Drian, qui, la veille, sont allés chercher les otages libérés à Niamey, la capitale du Niger. Daniel Larribe, Marc Féret, Pierre Legrand et Thierry Dole, eux, ont le visage fermé, et pour trois d'entre eux les yeux dissimulés derrière une paire de lunettes noires. En retrait, aucun d'entre eux ne prendra la parole sur le tarmac. Enlevés par un commando d'AQMI dans la nuit du 16 septembre

2010, dans la cité minière du Nord-Niger où Areva exploite des mines d'uranium à ciel ouvert depuis la fin des années 1960, les quatre hommes sont marqués par la terrible épreuve qu'ils ont endurée[1].

Mais leur réserve cache aussi de l'amertume, et même de la colère. Six mois après le rapt, en février 2011, trois d'entre eux, Françoise Larribe et deux otages originaires du continent africain (de nationalités malgache et togolaise), avaient été libérés par leurs ravisseurs. Comment et pourquoi leurs compagnons d'infortune l'ont-ils été si longtemps après ? Après le silence viendront le temps des questions et le temps judiciaire. Marc Féret a porté plainte contre X, accusant Paris d'avoir retardé sciemment sa libération. Mais pour quelle raison ? Au fil des mois, plusieurs intermédiaires, ces hommes qui d'ordinaire prisent l'ombre pour accomplir leur mission, vont apparaître à visage découvert pour exiger leur dû. Dans une enquête fouillée diffusée sur France 2, deux anciens de la DGSE, Jean-Marc Gadoullet et Pierre-Antoine Lorenzi, affirment ainsi que le compte n'y est pas : tous deux affirment ne pas avoir reçu la totalité de la somme que leur auraient promis leurs mandataires pour libérer les otages. Malaise dans la République.

C'est la revanche posthume d'Abou Zeïd, ce petit homme barbu au regard perçant qui avait lui-même dirigé l'opération d'Arlit, la nuit du 16 septembre

---

1. Témoignage de Daniel Larribe dans *Libération* du 11 novembre 2013.

2010, si l'on en croit le témoignage des époux Larribe[1]. Plus personne, en effet, ne croit à la fable de la doctrine officielle édictée par François Hollande à son arrivée à l'Élysée au printemps 2012 : la France ne paie pas pour obtenir la libération de ses otages[2].

Mais outre le reniement de la parole publique sur la question des rançons – qui permettent à AQMI de financer ses activités, l'achat d'armes, et donc de procéder potentiellement à d'autres rapts –, c'est cette concurrence échevelée entre réseaux d'intermédiaires – tout sauf désintéressés – qui choque après-coup. Une compétition sans merci attisée par des rivalités au sommet de l'État, révélatrice de graves dysfonctionnements, et qui, en bout de chaîne, a sans doute retardé la libération de quatre hommes bringuebalés par leurs ravisseurs pendant trois ans et demi au fin fond du désert, dans des conditions extrêmes[3].

JMG, l'espion téméraire qui gênait

Dès la nouvelle connue du spectaculaire enlèvement d'Arlit, un homme va proposer son aide : Guy Delbrel, le conseiller pour l'Afrique du président d'Air France. La compagnie est alors dirigée par Jean-Cyril Spinetta, lequel préside par ailleurs le conseil de surveillance d'Areva (de 2009 à

---

1. *Ibid.*
2. Dorothée Moisan, *Rançons*, Paris, Fayard, 2013.
3. Mathieu Olivier, « Pierre Legrand, Marc Féret, Thierry Dol : la fronde des anciens otages contre l'État français », *Jeune Afrique*, 22 janvier 2016.

2013). Proche des milieux liés aux mouvements de décolonisation et de la gauche révolutionnaire en Afrique, en particulier de Thomas Sankara – qui a brièvement dirigé le Burkina Faso avant d'être assassiné en 1987 –, Delbrel a un carnet d'adresses bien rempli dans l'ancien pré carré francophone en Afrique. Au lendemain du rapt, encore sous le choc de l'événement et dans le flou le plus total, Spinetta lui donne son feu vert pour activer ses contacts sur le continent.

Delbrel se rend aussitôt à Ouagadougou pour voir Blaise Compaoré, qui passe pour avoir un certain savoir-faire (non dénué d'ambiguïtés) en matière de négociations avec les groupes djihadistes. L'une des éminences grises du président burkinabé, le Mauritanien Moustapha Limam Chafi, n'a-t-il pas obtenu par le passé la libération de plusieurs otages occidentaux tombés aux mains d'AQMI[1] ? Mais, cette fois, Compaoré ne veut pas monter en première ligne, il aiguille Delbrel vers son homologue malien, Amadou Toumani Touré (ATT), un homme que le conseiller français connaît bien.

Au palais présidentiel de Bamako, le président ATT le reçoit et accepte de l'aider, mais *a minima*, rappelant que le rapt a eu lieu sur le territoire du voisin nigérien et non pas au Mali. Il pose aussi une condition : il ne faut pas que le montant des rançons s'envole – pas plus de deux millions d'euros par otage – afin de freiner la montée en puissance

---

1. Vincent Hugeux, « Limam Chafi, les secrets d'un sauveur d'otages », *L'Express*, 10 mars 2013.

d'AQMI au Mali... Pour le reste, il est disposé à aider le conseiller d'Air France dans sa mission.

Guy Delbrel se rapproche alors d'un responsable touareg influent, Ahmada ag-Bibi. Ce dernier présente l'avantage d'être aussi bien connecté à Bamako qu'à Kidal, où il a notamment le contact avec Iyad ag-Ghaly, l'une des personnalités les plus puissantes et les plus habiles dans la région (lire chapitre III). Vétéran des mouvements rebelles touareg des années 1990, Iyad ag-Ghaly est devenu très proche des salafistes implantés dans la zone, et des groupes djihadistes. Il va jouer un rôle capital.

Ag Bibi est bien connu des services français : « C'est un Touareg javellisé, persifle une source bien informée à Bamako. Il se rend à Paris quand il veut, où il est protégé par la DGSE. Sa femme y a d'ailleurs accouché[1]. » Amorcé avec l'assentiment des plus hautes autorités de la région par Guy Delbrel, qui effectue à l'automne 2010 plusieurs allers-retours entre Paris et la zone sahélienne, le processus mis en œuvre par ce premier réseau « Air France/Areva/ATT » va pourtant tourner court aussssitôt. Car une filière concurrente est déjà entrée en action.

Au bout de quelques semaines, c'est un Ahmada ag-Bibi légèrement embarrassé, selon une source proche du dossier, qui confie à l'émissaire d'Air France que « quelqu'un d'autre » a fait son apparition dans le paysage et qu'il a « beaucoup d'argent ». Guy Delbrel comprend que son intermédiaire vient de le lâcher, et assure avoir pris la décision de s'effacer

---

1. Entretien avec l'auteur, 20 octobre 2017.

très rapidement. Mais, dans le même temps, il fait état de multiples manœuvres d'intimidation le visant[1]. Étrange. Contrairement à ce qu'il affirme, le conseiller de Spinetta n'aurait-il pas tout à fait décroché ? Disposait-il d'éléments compromettants sur les agissements de ce second réseau susceptibles d'entraver la réussite de sa mission ?

Dans le dos de Delbrel, Ahmada ag-Bibi a en effet été approché par un autre Français, doté d'un profil très différent. Il s'appelle Jean-Marc Gadoullet (alias JMG). Ce personnage de roman déjà présenté, ancien colonel du service Action de la DGSE, a pour principal fait d'armes – qui lui a valu la Légion d'honneur – d'avoir épaulé le président tchadien Idriss Déby, en février 2008, assiégé par des rebelles dans son palais au cœur de Ndjamena.

Depuis, il a dit adieu au service Action pour se reconvertir, comme beaucoup d'autres, dans la sécurité privée. Il a créé la société Opos (Opérations et organisations spéciales) qu'il cherche, comme tout bon patron de PME, à faire prospérer. À cet égard, la périlleuse zone sahélienne, où sont présents de grands groupes français, constitue un marché de choix, aiguisant les appétits. Peu après le rapt d'Arlit, JMG est approché, en toute discrétion, par le groupe Vinci, dont plusieurs employés au sein de la filiale Sogea-Satom figurent parmi les otages. Un second réseau se met ainsi en mouvement. Mais, à la différence de la filière Delbrel,

1. Patrick Forestier, « Otages du Niger : rivalités entre négociateurs », *Paris Match* du 9 novembre 2011.

celui-ci bénéficie d'un soutien déterminant : celui de la DGSE.

Ce soutien, loin de chercher à le dissimuler, Jean-Marc Gadoullet en fait largement état dans le livre qu'il a publié, récemment, sur son parcours[1]. Expliquer par le menu qu'on bénéficie de la confiance du Boulevard Mortier parce qu'on dispose de solides contacts dans la zone – voire de meilleurs, même, que son ancien employeur –, cela ne peut pas nuire quand on est passé dans le privé. Mais pourquoi la DGSE, habilitée par l'État à gérer les libérations d'otages, délègue-t-elle ce dossier à un ancien du SA ? Est-elle moins bien implantée, et donc moins bien informée qu'on ne le croit dans la zone sahélienne – comme le suggère, au passage, Gadoullet dans son ouvrage ?

Le recours à un « privé » permet en réalité à l'agence de faire d'une pierre deux coups : ne pas apparaître en première ligne dans un dossier miné, tout en « pilotant » à distance la manœuvre en fournissant une aide précieuse à un ancien de la maison. « La DGSE est le seul organisme en France capable de piloter une négociation d'otages à l'étranger. Elle est structurée et mandatée pour cela. Il peut y avoir tout un tas d'habillages autour de son action, mais elle reste finalement la seule à conseiller le président de la République », reconnaît lui-même JMG[2].

Jean-Marc Gadoullet se met au travail, et il va rapidement engranger des résultats. Comme Guy

---

1. Jean-Marc Gadoullet, Mathieu Pelloli, *Agent secret*, *op. cit.*
2. *Ibid.*, p. 222.

Delbrel, il s'appuie sur Ahmada ag-Bibi pour approcher Iyad ag-Ghaly et, par son intermédiaire, entrer en contact direct avec Abou Zeïd lui-même. Avec un réel courage, l'ancien du SA se rend sur place, au cœur du désert, pour négocier face à face avec le chef des ravisseurs. Boulevard Mortier, on suit de très près sa mission : « Je pars avec l'aval de la DGSE qui s'est entretenue à Paris avec les deux entreprises (Vinci et Areva), mais je n'agis en aucun cas en son nom », précise JMG.

Avec l'aval, mais pas seulement : « Certes, la DGSE ne négocie pas directement, mais elle est très présente en arrière-plan, confie une source à Bamako qui suit depuis des années ce type d'affaires. Elle supervise l'ensemble, donne les téléphones cryptés aux négociateurs et fournit des moyens logistiques[1]. » Elle surveille aussi attentivement l'environnement immédiat du négociateur pour parer, autant que faire se peut, à tout danger.

La témérité de l'ancien du SA va être récompensée. Abou Zeïd est embarrassé par la présence parmi les otages d'une femme, Françoise Larribe, et celle de deux ressortissants africains. Il souhaite les libérer au plus vite. Gratuitement, ou contre une somme relativement modique ? C'est ce qu'affirme Guy Delbrel[2]. Mais ce n'est pas ce qui s'est produit. Les négociations portent sur diverses contreparties. Outre le versement d'une rançon, dont le montant reste à ce jour sujet à caution, mais qui selon

---

1. Entretien avec l'auteur, *via* Skype, 20 octobre 2017.
2. Entretien avec l'auteur, 6 avril 2018.

une note du Quai d'Orsay divulguée par France 2[1] dépasserait les 10 millions d'euros, la libération de prisonniers est sur la table.

Les autorités de Bamako font, apparemment, preuve de bonne volonté dans ce domaine. Gadoullet note ainsi dans son livre : « Début janvier 2011, quand j'apprends par les médias que Sanda Ould Bouamama (un djihadiste, N.D.A.) s'est échappé, je comprends qu'Amadou Toumani Touré, le président malien, qui suit avec le plus grand intérêt l'avancée de ma mission, a accepté la demande de libération, tout en trouvant un prétexte pour qu'elle n'apparaisse pas officiellement. Le deuxième round de négociation est donc enclenché. »

Il va aboutir en février 2011 à la libération de Françoise Larribe, qui depuis ne tarit plus d'éloges sur Gadoullet, et celle des deux otages togolais et malgache. Tous trois sont aussitôt exfiltrés du Mali, *via* le Niger. Le premier épisode s'achève par un *happy end...* de courte durée. Car les ennuis de JMG ne font que commencer. D'abord à Bamako où, selon une source directe, le président ATT enrage en apprenant que les trois otages ont été libérés contre une somme débloquée par leurs employeurs français bien supérieure au plafond qu'il avait lui-même fixé.

« Il a aussitôt convoqué le patron de la DGSE du Mali, Mamy Coulibaly, et lui a demandé ce qu'il en était », nous raconte cette source qui dit avoir assisté à toute la scène. Le chef des services secrets maliens cite un montant apparemment exorbitant et

---

1. *Envoyé spécial*, France 2, 26 janvier 2017.

explique, confus, n'avoir rien dit au chef de l'État à la demande expresse de Gadoullet : ce dernier lui aurait assuré que le président Sarkozy tenait à en informer lui-même son homologue malien... Quelques jours plus tard, le chef de la DGSE malienne sera limogé et exfiltré vers Abidjan, où il sera nommé consul général.

En réalité, pour pouvoir agir en toute sécurité, en évitant des fuites le mettant potentiellement en danger tout en bénéficiant de leur aide, JMG se serait assuré des soutiens dans l'entourage d'ATT à l'aide d'espèces sonnantes et trébuchantes[1]. En clair, certains « sécurocrates » parmi les plus éminents de Bamako auraient été achetés. À cette époque, à Paris, la DGSE affirme que l'environnement proche du président malien est en grande partie corrompu et en liaison étroite à la fois avec des trafiquants de drogue qui sillonnent la zone sahélienne et avec des responsables djihadistes actifs dans le Nord du pays. Sans doute valait-il mieux, aux yeux de ce second réseau, mettre le prix pour pouvoir se concentrer sur la tâche la plus ardue, les négociations avec AQMI.

Ces versements occultes sont-ils à l'origine d'une rumeur tenace faisant état du détournement d'une partie de la somme débloquée par les entreprises Areva et Vinci pour la libération des trois otages ? JMG réfute en bloc toute idée d'enrichissement personnel ou de rétro-commissions à usage de politique intérieure, assurant même dans son livre que la DGSE dispose de l'enregistrement d'une

---

1. *Ibid.*

conversation dans laquelle Abou Zeïd confirme avoir reçu la totalité de la somme prévue.

Ces multiples polémiques vont, en tout cas, laisser des traces durables et profondes dans les esprits. Mais aussi sur le corps de Jean-Marc Gadoullet, qui, entre-temps, a repris son bâton de négociateur pour tenter d'arracher la libération des quatre derniers otages d'Arlit. JMG, qui évite désormais soigneusement de passer par Bamako, atterrit à Niamey avant de traverser discrètement la frontière avec le Mali. Fin novembre 2011, à nouveau en route vers le fief d'Abou Zeïd, il est sérieusement blessé à l'épaule en tentant de forcer un barrage dressé à la sortie de la ville de Gao par des hommes en armes. Bamako, informé de sa présence, avait-il décidé de le bloquer coûte que coûte ? Ou bien est-ce tout simplement par manque de chance ? Gadoullet, lui, se demande s'il n'a pas été en fin de compte visé par un réseau rival, connecté aux services de l'Algérie, très présents dans cette zone, et décidé à le mettre hors jeu pour reprendre le flambeau... et le business.

Il est aussitôt rapatrié en France par un avion affrété par Vinci, et hospitalisé dans un hôpital militaire parisien durant plusieurs semaines. Il ne le sait pas encore, mais, malgré sa volonté de poursuivre et achever sa mission, avec l'assentiment des employeurs des otages – qui, sous la pression des familles, redoutent un enlisement des négociations –, son temps est révolu.

Au printemps 2012, JMG assure avoir été sur le point d'obtenir la libération des quatre derniers otages d'Arlit. Mais, explique-t-il, alors qu'il était dans les starting-blocks à Niamey, prêt à traverser la frontière, sa mission soutenue par Areva et Vinci a été brutalement annulée par le général Benoît Puga, entre les deux tours de la présidentielle en France, au lendemain d'une ultime réunion sur ce dossier à l'Élysée[1].

Sentant le vent tourner à Paris à la veille de l'arrivée d'une nouvelle équipe au pouvoir, le chef d'état-major particulier du Président a-t-il préféré jouer la carte de la prudence ? A-t-il reçu des messages discrets mais explicites de la part de ceux dont la victoire ne faisait alors plus guère de doute pour ne pas prendre d'initiatives intempestives à la dernière minute ? À tort ou à raison, Puga passe pour un fin connaisseur des rapports de force politiques. Mais au-delà de son avenir personnel, le général cinq étoiles n'a pas pu ignorer la prise de position de la DGSE, opposée à une nouvelle mission sur place de Gadoullet, devenu gênant du fait de la franche hostilité de Bamako à son encontre.

En mai 2012, au lendemain de la victoire de François Hollande à la présidentielle, une nouvelle équipe s'installe au sommet de l'État. Le patron de la DGSE nommé par Nicolas Sarkozy, Erard Corbin de Mangoux, reste provisoirement en place Boulevard Mortier. Le chef d'état-major particulier du Président à l'Élysée, le général Benoît Puga, gardera quant à lui son poste durant la quasi-totalité du nouveau quinquennat. C'est de la rue Saint-Dominique que va souffler le vent d'un changement radical : le nouveau ministre Jean-Yves Le Drian et son conseiller le plus proche, le directeur de cabinet Cédric Lewandowski, sont bien

---

1. *Ibid.*

décidés à assumer l'intégralité des pouvoirs dévolus au patron de l'Hôtel de Brienne, mais rognés au fil des ans par l'Élysée et l'état-major des armées. Ils veulent, notamment, reprendre en main le dossier des otages.

Dans les arcanes du pouvoir, chacun attend fébrilement sa nouvelle feuille de route. Gadoullet doit se rendre à l'évidence : il n'est plus l'homme de la situation – ni aux yeux du cabinet Le Drian ni aux yeux du nouveau patron de la DGSE, Bernard Bajolet.

Définitivement hors course, l'ancien colonel du service Action n'a de cesse, depuis, de réclamer ce que ses mandataires – les sociétés Areva et Vinci – lui auraient promis sur le plan financier pour poursuivre les négociations après la libération des trois premiers otages en février 2011. En désespoir de cause, Gadoullet a décidé d'intenter une action en justice pour faire valoir ses droits et publie également un ouvrage dans lequel il livre sa version des faits. Comme un ultime baroud d'honneur.

Autre révélation dans cette affaire : selon une source bien informée, Mouammar Kadhafi aurait tenté, pendant l'intervention militaire occidentale contre son régime en 2011, de racheter les quatre otages d'Arlit à AQMI. Mais, selon cette source, il se serait heurté au refus catégorique d'Abou Zeïd de céder « ses » otages contre une forte somme d'argent.

La filière nigérienne entre en action

Qui dit nouveau pouvoir, dit nouvelle filière. En réalité, le pluriel est à nouveau de mise dans cette affaire. Car, alors que les quatre otages français luttent toujours pour leur survie dans le Nord du Mali, la compétition initiale entre réseaux privés va peu à peu céder la place à une guerre sans merci entre réseaux concurrents, cette fois au sommet de l'État.

En mars 2013, quand Bernard Bajolet prend ses fonctions Boulevard Mortier, l'armée française a lancé l'opération *Serval* depuis plusieurs semaines et les familles peuvent légitimement redouter le pire pour les otages. Ces derniers raconteront, par la suite, avoir été à deux doigts d'être tués par des frappes françaises[1]. Or, tout comme son ministre de tutelle, le nouveau patron de la DGSE – un ancien ambassadeur rompu aux missions les plus délicates (lire chapitre VIII) – a la ferme intention d'affirmer son autorité. « Lorsqu'il était coordonnateur national pour le renseignement auprès de Nicolas Sarkozy, Bajolet était *de facto* exclu du dossier des otages et il a eu du mal à l'encaisser », confie un haut responsable militaire qui l'a côtoyé à cette époque[2]. Les affaires d'otages – qui nécessitent le recours à de multiples leviers et pressions inavouables – entrent clairement dans les attributions de la DGSE. En s'installant dans le fauteuil du directeur général, boulevard Mortier, Bernard Bajolet est donc bien décidé à récupérer le dossier d'Arlit.

Or, d'après une source bien informée, s'il reconnaît volontiers la contribution apportée par Jean-Marc Gadoullet, et l'intérêt pour la DGSE d'avoir utilisé un temps cette carte, Bernard Bajolet affirme

---

1. *Libération*, 11 novembre 2013, *op. cit.*
2. Entretien avec l'auteur, 17 janvier 2018.

vouloir appliquer la nouvelle doctrine formulée par François Hollande : on ne paye pas. Ou du moins, l'État ne paye pas. « La libération des trois premiers otages par Gadoullet a coûté très cher, souligne une source officielle impliquée dans ce dossier. Elle a fait monter les enchères et créé un précédent aux yeux des ravisseurs[1]. » De fait, depuis son fief du Nord-Mali, Abou Zeïd fait passer des missives à JMG dans lesquelles il exige d'abord 6,5 millions d'euros en échange de la libération de Marc Féret, puis, un peu plus tard, 30 millions d'euros pour celle de Marc Féret et Pierre Legrand. Pour le nouveau patron de la DGSE, le processus a clairement été mal engagé au départ, et il faut changer de méthode.

Bernard Bajolet va donc édicter de nouvelles règles dans la gestion du dossier des otages : plus question de recourir à des intermédiaires hexagonaux, fussent-ils proches de la « Boîte » ; la DGSE doit monter en première ligne et gérer elle-même les appuis locaux dont elle a besoin pour communiquer et négocier par leur intermédiaire avec les ravisseurs. À Paris, tous les regards se tournent dorénavant vers Niamey et le Niger du président Issoufou, un proche de François Hollande qui, à bas bruit, a branché ses antennes sur le Nord-Mali depuis le début de cette affaire.

En septembre 2010, les employés d'Areva et de Vinci ont en effet été kidnappés à Arlit, sur le territoire du Niger, et les autorités de Niamey ont à cœur de réparer cet affront en activant leurs propres

_____

1. Entretien avec l'auteur, 23 mars 2018.

réseaux. Dès le lendemain du rapt, en toute discrétion, un personnage clé a ainsi entamé une mission de longue haleine, multipliant les allers-retours sur le terrain, à la rencontre des ravisseurs ou de leurs proches. Il s'agit de Mohamed Akotey, un homme que les Français connaissent bien.

Cet individu posé et taiseux, au regard pénétrant, se situe – de par son profil – au centre de l'échiquier dans ce maelström. Neveu de l'ancien chef charismatique des rebelles touareg, Mano Dayak (lire chapitre III), Akotey est issu de la tribu des Ifoghas – tout comme Iyad ag-Ghaly. Ancien ministre de l'ex-président Mamadou Tandja, il est également proche de son successeur, le président Issoufou, qu'il conseille. Enfin, Mohamed Akotey dispose de solides contacts en France, où il a fait une partie de ses études avant de regagner son pays à la mort de Mano Dayak. Areva l'a nommé président du conseil d'administration de sa filiale chargée de la mise en exploitation d'une nouvelle mine d'uranium jugée très prometteuse dans le Nord du Niger, à Imouraren – le projet a été gelé depuis.

Akotey n'a pas attendu que Paris sollicite officiellement l'aide du Niger pour se mettre en action, à la demande du président Issoufou. Le conseiller l'a d'ailleurs raconté de manière circonstanciée sur les ondes de RFI, en janvier 2017[1]. « J'ai rencontré les djihadistes avant M. Gadoullet. » D'après nos

---

1. Propos recueillis par David Baché, Marie Casadebaig et Olivier Fourt et diffusés le 31 janvier 2017 sur RFI.

informations, Akotey rencontre Abou Zeïd à deux reprises, les 17 et 18 octobre. Lors de son entrevue initiale avec l'émir d'al-Qaida au Maghreb islamique, il apprend – à sa grande surprise – qu'il n'est pas le premier à venir discuter du sort des otages. D'après une source impliquée de près dans ce dossier, un émissaire « mandaté par le gouvernement malien » est passé avant lui : un certain Iyad ag-Ghaly, qui deviendra plus tard l'ennemi public numéro un des Français dans la zone. Dans cette affaire, le premier négociateur pour tenter de faire libérer des otages français n'est donc ni Akotey ni Gadoullet, mais bien Iyad, dont l'aide a été sollicitée par Bamako.

Toutefois, ce dernier s'efface rapidement, peut-être en échange de contreparties restées confidentielles, au profit de Gadoullet, mandaté par les entreprises françaises et soutenu, on l'a dit, par la DGSE. Akotey, qui suit l'avancement des discussions grâce à son propre réseau d'informateurs sur le terrain, poursuit sur RFI : « Lors de mon second voyage, fin décembre 2010, on m'avait dit qu'il y avait un Français qui était venu deux semaines avant, qui était reparti mais qui était mandaté uniquement par Vinci [...]. Je suis ensuite revenu plusieurs fois et suis donc au courant de ce que Gadoullet faisait là-bas, mais je ne suis jamais rentré dans les négociations proprement dites parce que j'ai promis – c'est ce qu'on a convenu avec les djihadistes – que je suivrais de loin mais n'aurais pas les détails de ce qui se faisait. » Pas question, pour Mohamed Akotey, de mettre le doigt dans l'engrenage des tractations financières. C'est l'affaire des Français.

Après avoir « débranché » Gadoullet, Paris mise tout sur la filière nigérienne. Jean-Yves Le Drian, Cédric Lewandowski, Bernard Bajolet : à partir du printemps 2013, les responsables français se succèdent à Niamey auprès du président Issoufou. Le temps presse, les combats se sont achevés au Mali par la défaite des groupes djihadistes sous les coups de boutoir de l'armée française. Malgré la mort d'Abou Zeïd, tué fin février 2013 dans un raid français, le groupe qui détient les quatre otages ne les a pas exécutés en représailles. Au contraire, leurs geôliers veillent sur ce « bien » à haute valeur ajoutée qui doit leur rapporter gros, au moment où ils ont besoin de ressources financières pour tenter de rebondir. Ils font savoir qu'ils sont toujours prêts à négocier.

Sur RFI, Akotey précise : « C'est le président de la République [du Niger], M. Issoufou Mahamadou, qui m'a mandaté pour négocier la libération des otages. À partir de la mi-juin 2013, j'ai tout mené, du début jusqu'à la fin. » Pour y parvenir, l'émissaire bénéficie du soutien du général Chekou Koré, qui dirige le renseignement extérieur du Niger, et de celui de la DGSE, en première ligne depuis l'arrivée de Bajolet boulevard Mortier, et qui fournit, d'après une source nigérienne proche du dossier, des moyens logistiques pour aider aux négociations.

Celles-ci progressent et vont bientôt aboutir. Le 29 octobre 2013, le gouvernement français annonce enfin la libération tant attendue des quatre derniers otages d'Arlit. Dans la soirée, ils sont à Niamey, sains et saufs, un peu gênés de se retrouver subitement sous le feu des projecteurs après avoir passé plus de trois ans dans le silence du désert. Mohamed Akotey a réussi sa mission.

De nombreux détails concordants ont filtré depuis dans la presse sur la délicate opération de récupération des quatre d'Arlit. Avec son équipe, le négociateur mandaté par le gouvernement du Niger est allé les chercher par la route en coupant toute communication pour ne pas se faire repérer. À sa demande, et afin de ne pas tout faire capoter au dernier moment, Akotey a demandé et obtenu de Paris qu'aucun avion ne survole la zone où doit avoir lieu l'échange. Une fois les otages récupérés, des hélicoptères de l'armée du Niger, selon une source proche du dossier – deux MI-17 de fabrication soviétique – sont venus les chercher pour les mettre en lieu sûr à Kidal, où stationnent les forces de l'opération *Serval*, avant de les emmener plus tard dans la capitale nigérienne. Sur place, ils sont accueillis par le président nigérien Issoufou, mais aussi par Jean-Yves Le Drian et Laurent Fabius, qui ont tenu à faire le déplacement, malgré les réticences des services de renseignement. Une libération d'otages, c'est l'occasion d'engranger un bénéfice politique. Bientôt, un nouveau rapt va survenir dans la même zone, à Kidal, et virer au drame.

Pour l'heure, le soulagement des familles est immense. Après plus de trois ans de calvaire, les quatre hommes exténués mais vivants regagnent la France, où ils retrouvent leurs proches dès le lendemain. Mais à peine leur avion s'est-il posé sur le tarmac de Villacoublay qu'une polémique virulente éclate avec la parution de l'article explosif du *Monde*[1]. Le soir même, un Laurent Fabius gêné aux entournures affirme sur TF1 qu'« aucun argent public » n'a été engagé, suggérant en creux la possibilité d'un versement d'une autre nature... Areva et Vinci, les employeurs des quatre ex-otages, couverts par leurs assurances, ont-ils été à nouveau mis à contribution ? Ou la rançon a-t-elle été prélevée *manu militari* sur les fonds secrets de la DGSE, comme l'affirment certains, malgré l'opposition exprimée auprès de l'Élysée par son directeur général, Bernard Bajolet ?

Évoquée publiquement par le président Hollande sur le tarmac de Villacoublay, dans un message codé en forme d'injonction s'adressant peut-être en priorité à son entourage et aux différents services de l'État, « l'unité » de la nation dans cette dernière ligne droite n'était que de façade. Dans la coulisse, une guerre sourde faisait rage entre les différents protagonistes.

---

1. Jacques Follorou, « Otages d'Arlit : les dessous de la négociation », *op. cit.*

Le supplice de PAL

Si l'article du *Monde* suscite la colère de la DGSE, c'est aussi parce qu'il met en avant la contribution prétendument déterminante pour la réussite de l'opération d'un homme dont le nom apparaît pour la première fois dans cette affaire, celui de Pierre-Antoine Lorenzi[1]. Ce dernier, surnommé « PAL », est un ancien de la DGSE qui codirige la société de sécurité privée Amarante.

Au printemps 2013, la question des otages a donné lieu à une première passe d'armes sévère entre Bernard Bajolet et Cédric Lewandowski précisément à son sujet. Les deux hommes s'opposent sur le rôle que devrait jouer Lorenzi dans le processus de négociations. Le directeur de cabinet de Le Drian veut l'imposer au nouveau patron de la DGSE, qui refuse tout net. « Tu viens d'arriver et tu fous déjà le bordel ! », lui aurait alors lancé Lewandowski, selon un proche des deux hommes.

Une chose est sûre : PAL est dans le paysage depuis un bon moment. Courant 2011, comme il l'a raconté lui-même à *Envoyé spécial*, il propose ses services à la DGSE, qui décide de le garder en réserve de la République. Lorenzi n'est pas à proprement parler un espion, ni un homme de terrain, contrairement à Gadoullet, mais un politique, doté d'un solide réseau dans les milieux sécuritaires. Après ses

---

1. Contacté par les auteurs, Pierre-Antoine Lorenzi a fait savoir qu'il ne souhaitait plus « s'exprimer sur ces sujets ».

études de science politique à Aix-en-Provence, il a commencé sa carrière, dans les années 1980 et 1990, dans les cabinets ministériels alors que la gauche était au pouvoir. En 1997, il étoffe son carnet d'adresses en rejoignant le Boulevard Mortier, et va notamment exercer la fonction de chef de cabinet du directeur de l'époque, Jean-Claude Cousseran. Il ne reste que quatre ans au sein de la « Boîte »[1].

Quelques années plus tard, en 2007, il fonde avec son associé Alexandre Hollander la société de sécurité Amarante, qui compte parmi ses conseillers l'ex-commissaire divisionnaire Charles Pellegrini (lire chapitre IV). D'origine corse, PAL est proche de Bernard Squarcini, brutalement remercié après l'élection de François Hollande à l'Élysée. La société de Lorenzi et Hollander connaît une croissance rapide, et gagne notamment plusieurs gros contrats en Algérie, un pays qui occupe rapidement une place substantielle dans son chiffre d'affaires[2]. Selon des sources bien informées, PAL cultive ses réseaux dans le pays, où il est en contact avec de hauts responsables du DRS, le service de renseignement algérien[3]. Parmi les prestations proposées à ses clients, Amarante met en avant son savoir-faire en termes de négociation et de libération d'otages. En avril 2013, c'est d'ailleurs cette entreprise qui a géré avec succès la libération du directeur financier de l'ONG

---

1. *Envoyé spécial*, 26 janvier 2017.
2. Philippe Vasset, « Agent doublé », *Vanity Fair*, juillet 2016.
3. Sur les activités d'Amarante en Algérie, lire Intelligence Online, n° 655, 2 décembre 2011.

Acted enlevé à Kaboul quelques mois auparavant. Sur place, l'ambassadeur de l'époque avait fait savoir que l'État ne s'occupait pas des humanitaires pris en otage. Le nom de ce diplomate ? Bernard Bajolet.

Après le rapt d'Arlit, Pierre-Antoine Lorenzi se met rapidement en contact avec Mohamed Akotey, à Niamey, avant de proposer ses services à l'État français. Dans un premier temps, courant 2011, les deux hommes décident de ne pas interférer dans les négociations, laissant la main à Gadoullet, tout en se tenant prêts à prendre le relais si nécessaire. La mise hors jeu de JMG, la brutale dégradation de la situation au Mali puis l'opération *Serval* rebattent les cartes : il faut passer par Niamey et peut-être aussi par Alger pour renouer le contact avec les ravisseurs, *via* l'incontournable Iyad ag-Ghaly.

Le tandem Akotey-Lorenzi dispose, dès lors, d'arguments solides à faire valoir auprès du cabinet de Jean-Yves Le Drian, qui semble rapidement convaincu par l'opportunité de ce plan B. Lors d'un déplacement à Niamey au printemps 2013, le ministre français de la Défense demande ainsi au président Issoufou, en présence de Mohamed Akotey, de travailler avec PAL. Mais c'est compter sans Bernard Bajolet, qui, de son côté, refuse toujours d'inclure Lorenzi dans la boucle.

À son corps défendant, Mohamed Akotey évolue au cœur de cet imbroglio franco-français. Il raconte sur RFI : « Il était prévu qu'il [Lorenzi] fasse le travail que faisait auparavant M. Gadoullet [...]. Un premier négociateur qui n'était plus négociateur. Donc,

Pierre-Antoine Lorenzi a voulu reprendre sa place et il avait l'appui du ministre français de la Défense. On avait prévu une mission entre le 12 et le 14 juin 2013 avec lui, mais le directeur général de la DGSE s'était opposé fermement à sa présence dans la mission. »

Mohamed Akotey poursuit : « Quand le directeur général de la DGSE s'est opposé à sa présence dans la mission, M. Lorenzi m'a finalement appelé pour me dire qu'il se retirait et m'a souhaité bonne chance. Il disait qu'il le faisait pour l'intérêt de la mission, pour que celle-ci réussisse. À partir de ce moment-là, sur le terrain, il n'a participé à aucune opération de négociation. Aucune. » Sur le terrain, précise Akotey. Mais en coulisse ?

De juin 2013 jusqu'au dénouement final, l'émissaire nigérien se rend à de multiples reprises à la rencontre des ravisseurs. À chaque retour, il rend compte aux services nigériens et français de l'état d'avancement des négociations. Aujourd'hui, sur la même ligne que la DGSE, il persiste et signe : Lorenzi n'a joué aucun rôle, pas plus que les équipes d'Amarante.

Parole contre parole. PAL affirme, à l'inverse, avoir œuvré au dénouement final, et tient à le faire savoir. Dès le lendemain de la libération des quatre otages, donc, *Le Monde* met en lumière son rôle présumé. Il prend ainsi le risque de s'attirer les foudres de la « Boîte », qui a la rancune tenace. En septembre 2015, le cofondateur d'Amarante est visé par une enquête préliminaire du Parquet national financier pour « fraude fiscale et blanchiment ».

Perquisitions, saisie de ses comptes au Luxembourg où il est résident fiscal. En décembre 2015, la justice du grand-duché estime pourtant que les preuves fournies par la justice française sont insuffisantes, et restitue ses biens à Lorenzi[1].

Mais PAL n'en démord pas : il réclame toujours à qui de droit 3 millions d'euros pour ses « bons et loyaux » services dans l'affaire d'Arlit. Mais quels services exactement ? S'est-il occupé d'activer des intermédiaires algériens pour obtenir le feu vert d'Iyad ag-Ghaly, considéré comme proche des services locaux ? A-t-il géré la rançon que le patron de la DGSE refusait de verser, conformément à la doxa officielle de François Hollande, et qui aurait pu être confiée par Amarante à l'équipe d'Akotey, peut-être à Kidal, au moment où ce dernier prenait la route pour aller chercher les otages ? Il ne l'a jamais dit précisément. Au lendemain de la libération des otages, le cabinet Le Drian a transmis la facture à la DGSE de Bajolet, qui a refusé tout net. La question du rôle exact joué par Lorenzi reste entière.

« Lorenzi, comme Gadoullet d'ailleurs, a un ego démesuré, confie un protagoniste de l'affaire. Il a profité de cette affaire pour faire parler de lui, et de sa société[2]. » À l'automne 2015, Lorenzi a vendu ses parts au sein d'Amarante à son associé Alexandre Hollander, lequel aurait très peu goûté toute cette publicité. Ils sont nombreux à avoir oublié le pré-

---

1. Intelligence Online, n° 751, 20 janvier 2016.
2. Entretien avec l'auteur, 2 mai 2018.

cepte édicté en son temps par feu Jacques Foccart :
« Si tu ne veux pas attraper de coup de soleil, reste
à l'ombre. »

La joie sera de courte durée en France. Trois jours
après le retour des quatre ex-otages d'Arlit, deux
journalistes de RFI en reportage à Kidal, Ghislaine
Dupont et Claude Verlon, sont enlevés dans le centre
de cette localité du Nord-Mali et embarqués de force
par plusieurs hommes armés. Le rapt a lieu à la mi-
journée, et l'alerte est rapidement donnée. Présents
sur place, les soldats français de l'opération *Serval*
reçoivent l'ordre de se lancer aux trousses des ravisseurs. Mais très vite, les corps sans vie des deux
envoyés spéciaux de RFI sont retrouvés près du
pick-up localisé à la sortie de la ville. Ils ont été
exécutés par leurs ravisseurs qui ont réussi à s'en-
fuir. Quelques jours plus tard, l'assassinat de Dupont
et Verlon est revendiqué par la *katiba* (brigade) dirigée par Abdelkrim, dit « le Touareg »[1]. L'émotion
est très forte, et pas seulement à Radio-France.

La mort tragique des deux journalistes de RFI
est-elle liée à l'affaire d'Arlit ? La rumeur ne tarde pas
à enfler, notamment du fait de la quasi-concomitance
– troublante, il est vrai – entre les deux événements.
Pour certains observateurs, Paris n'aurait peut-être
pas tenu tous les engagements pris pour obtenir la

---

1. Abdelkrim le Touareg a été tué par les forces françaises lors
d'une opération au Mali en mai 2015. Son groupe est également
responsable de l'enlèvement, en novembre 2011, des deux Français Philippe Verdon et Serge Lazarevic dans le Centre du Mali.

libération des quatre d'Arlit. Tous les intermédiaires, dit-on, n'auraient pas été payés. D'autres croient savoir que les prisonniers qui auraient dû être libérés, notamment par Bamako, ne l'ont pas été, déclenchant la fureur des djihadistes[1]. La justice française enquête toujours sur cette affaire qui n'a pas livré tous ses secrets.

Selon plusieurs sources dignes de foi, l'enlèvement des deux journalistes de RFI aurait été mené par des amateurs qui escomptaient « revendre » leurs otages à un groupe djihadiste. C'est notamment la conviction du négociateur Mohamed Akotey, qui, toujours sur RFI, évoque « un rapt d'opportunité qui a mal tourné[2] ». L'enquête a en effet révélé que le véhicule des ravisseurs était tombé en panne à la sortie de Kidal. Se sachant pourchassés, ces derniers auraient paniqué et tué leurs otages, avant de s'évanouir dans les sables du désert.

Aux yeux de Mohamed Akotey, en définitive, c'est toute la publicité autour du paiement de rançon qui serait à l'origine du drame : « La presse a tellement rabâché les oreilles à tout le monde sur le montant faramineux de la rançon que cela a dû donner des idées à quelques-uns. Ils ont trouvé ce qu'ils avaient sous la main et puis cela a mal tourné[3]. »

Mais faut-il vraiment pointer la responsabilité de la presse dans ce drame ? Celle-ci cherche surtout

---

1. *Envoyé spécial*, 26 janvier 2017.
2. RFI, 26 janvier 2017.
3. *Ibid.*

à éclairer les ambiguïtés tragiques d'un État pris au piège entre la nécessité de ne pas alimenter le terrorisme et sa volonté de ne pas abandonner ses otages. Et qui, sous la pression de l'opinion publique et des médias, promet de faire toute la lumière sur des affaires classées « Confidentiel Défense ».

CHAPITRE X

Nos dossiers « Confidentiel Défense »

« Vous saurez tout, minute par minute ! » Ce vendredi 24 juillet 2015, le président François Hollande reçoit des membres des familles de Ghislaine Dupont et Claude Verlon, les deux reporters assassinés. En martelant ces mots, le chef de l'État s'adresse les yeux dans les yeux à Marie-Solange, la mère de Ghislaine. François Hollande s'engage à « déclassifier tous les documents demandés par les magistrats instructeurs », en particulier les archives de l'armée et des services de renseignement français, très actifs dans la région. Les familles sont à peine sorties de l'Élysée qu'un communiqué officiel réaffirme : « Le Président a exprimé le souhait que toute la transparence puisse être faite. »

Pourquoi tant d'insistance ? Car une fois la décision politique engagée au niveau présidentiel, le processus de consultation de documents secrets n'est que le début d'une autre aventure. Elle s'apparente à un long parcours dans un tunnel hostile vers une lueur de vérité incertaine. D'abord, parce que la demande est toujours aveugle : elle avance à tâtons vers des dossiers dont elle ignore souvent l'existence. Ensuite, parce que toute sortie d'archives est à la discrétion de l'institution elle-même. Et quand cette institution est la DGSE, l'incertitude devient la règle et le temps inhumain. Sans accélérateur présidentiel, les délais d'accès aux archives de la DGSE sont de cinquante ans, voire de cent ans pour les documents qui pourraient porter atteinte à la sécurité de personnes nommément désignées ou facilement identifiables. Il faut ajouter dans le millefeuille des interdits d'accès les informations confidentielles qui proviennent de services alliés (CIA, MI6, DGSN…) : elles ne peuvent être communiquées à des tiers. C'est la règle secrète entre ces grandes agences.

Aussi faut-il une sacrée patience et de la ténacité pour tirer la petite ficelle qui déroulera peut-être un jour la pelote de la vérité. Assassinat de Thomas Sankara au Burkina Faso (1987), meurtre du juge Borrel à Djibouti (1995), actions des militaires français au Rwanda (1994), exécution de « tirailleurs sénégalais » dans le camp de Thiaroye à Dakar (1944), assassinat à Paris de la militante anti-apartheid Dulcie September (1988), attaque d'un camp à Bouaké en Côte d'Ivoire (neuf soldats français tués en 2004). Tous les présidents qui se sont succédé à l'Élysée ont reçu les familles des « disparus » en leur assurant qu'ils allaient demander la déclassification de leur dossier afin qu'elles sachent, enfin, comment et pourquoi leurs proches avaient été assassinés.

Ghislaine Dupont et Claude Verlon, l'enquête inachevée

Pour Ghislaine Dupont et Claude Verlon, entre les promesses du Président et l'accès aux documents, sept mois se sont écoulés. C'est à la demande des magistrats Laurence Le Vert, Marc Trévidic et Christophe Teissier, chargés de l'instruction sur ces meurtres, que le ministre de la Défense Jean-Yves Le Drian a saisi la CSDN (Commission du secret de la Défense nationale)[1]. Le 21 janvier 2016, cette commission « consultative » a émis un avis favorable à la déclassification de cinquante-sept documents, dont huit de la Direction du renseignement militaire, deux de la Direction de la protection et de la sécurité de la défense (devenue depuis DRSD) et quarante-six de la Direction générale de la sécurité extérieure. Au total, une centaine de feuillets dont une grande partie caviardée. N'imaginez pas de grands coups de feutre noir nerveux sur des textes dactylographiés. Non, ils ont été expurgés. Il ne reste que de tristes pages blanches où il est spécifié : « Non déclassifié par décision du ministre de la Défense » et, juste en dessous, il est précisé : « Conformément à l'avis du 26 janvier 2016 de la CSDN. » Comprenez : le

---

1. Créée le 8 juillet 1998, la Commission du secret de la défense nationale compte un membre du Conseil d'État, un magistrat de la Cour de cassation, un magistrat de la Cour des comptes, un député et un sénateur. L'avis de la commission est consultatif. Le ministre a donc toute latitude pour déclassifier malgré un avis défavorable de la commission et inversement.

ministre et les parlementaires sont d'accord sur tous les documents à soustraire aux yeux des juges, de la famille et des journalistes. Misère.

Des documents et photos disponibles, ainsi que des entretiens à l'Élysée, il est tout de même ressorti que les hommes qui ont enlevé Ghislaine et Claude ont été identifiés. Trois d'entre eux – dont l'un des commanditaires, Amada Ag Hama, alias Abdelkrim le Touareg – sont morts, dont deux « neutralisés » par des militaires français. Deux autres se seraient réfugiés en Algérie. Le mobile du meurtre n'est pas encore éclairci : enlèvement « d'opportunité » pour récupérer une partie de la rançon de plusieurs millions d'euros pour la libération des otages français d'Areva et de Vinci ? Une vengeance à la suite de promesses non tenues de libération de proches des assassins a également été évoquée. Autres mystères : pourquoi l'ordinateur de Ghislaine Dupont a-t-il été visité avant son enlèvement ? Quel a été l'impact de la présence d'un hélicoptère de la Minusma (Mission multidimensionnelle intégrée des Nations unies pour la stabilisation du Mali) qui volait parallèlement à la voiture des terroristes ? Est-ce qu'un hélicoptère de l'armée française était également présent ? Mille et une autres questions soulevées aussi par l'attitude de l'armée française opposée à la présence des deux journalistes à Kidal. À ce jour, les archives mises à disposition par les services secrets n'ont pas permis de répondre à ces questions.

Le dossier Sankara vraiment à livre ouvert ?

Le 28 novembre 2017, c'est Emmanuel Macron qui annonce aux étudiants de l'université Ouaga 1, au Burkina Faso, la levée du « Secret Défense » en France sur le dossier de l'assassinat de Thomas Sankara, le 15 octobre 1987. On est déjà trente ans après la disparition de l'un des rares chefs d'État africains anticolonialistes qui galvanise toujours la jeunesse du continent. Bien briefé par ses conseillers, Emmanuel Macron a vite compris qu'il tenait, en prononçant le nom magique de Sankara, son sésame pour s'adresser à la jeunesse burkinabé dans un discours qui se voulait refondateur d'une nouvelle politique à l'égard de l'Afrique.

Là aussi, le Président assure que « tous [les documents] produits par des administrations françaises pendant le régime de Sankara et après son assassinat [...] couverts par le secret national seront déclassifiés et consultés en réponse aux demandes de la justice burkinabé ». Cette même justice qui a inculpé quatorze personnes dont le général Gilbert Diendéré, l'homme de tous les secrets du régime de Blaise Compaoré qui est tombé en octobre 2014. Réfugié en Côte d'Ivoire, l'ancien président burkinabé est lui-même sous mandat d'arrêt international ainsi que Hyacinthe Kafando, le chef présumé du commando qui a tué Thomas Sankara[1].

---

1. Comité « Justice pour Sankara, justice pour l'Afrique ».

Malgré les promesses d'Emmanuel Macron, on peut déjà parier que le nom de Gilbert Diendéré sera le grand absent de tous les documents fournis par la DGSE. Le renseignement ne fait pas bon ménage avec la justice. Détenteur de tous les secrets des interventions clandestines de la France dans la région (Liberia, Côte d'Ivoire...) sur plusieurs décennies, Gilbert Diendéré avait même permis, avant la chute du régime, l'installation du commandement des opérations spéciales de l'armée française dans une zone protégée de l'aéroport de Ouagadougou, à l'abri des regards. C'est à partir de ce camp que les forces spéciales françaises opèrent toujours discrètement dans toute la zone sahélo-saharienne, en appui à l'opération *Barkhane*. Tout à la fois chef de l'armée et des services de renseignement de son pays, Gilbert Diendéré était « notre homme à Ouaga[1] ». Intouchable il était, intouchable il restera... grâce au Boulevard Mortier.

Le dossier du juge Bernard Borrel, mille fois enterré

L'*omertà* de l'armée française est tout aussi étanche à Djibouti, sur l'assassinat, dans la nuit du 18 au 19 octobre 1995, de Bernard Borrel, magistrat français détaché auprès du ministre de la Justice djiboutien. Ce juge enquêtait à la

---

1. Voir chapitre II : « Nos cousins des DGSE africaines. »

fois sur l'attentat du Café de Paris le 27 septembre 1990[1], et sur divers trafics (armes, stupéfiants, fausse monnaie). Sa veuve, Élisabeth Borrel, elle-même magistrate, a déjà mis près de trente ans à faire reconnaître que son mari ne s'était pas suicidé mais avait bien été frappé à la tête puis brûlé. Objectif visé : accréditer l'idée que le juge s'était immolé par le feu. Un assassinat reconnu le 13 juillet 2017 par le tribunal de grande instance de Paris, sur la base d'expertises incontestables. Dans ce dossier également, le président Sarkozy avait assuré le 19 juin 2007 à Élisabeth Borrel que « toute la lumière » serait faite sur l'assassinat de son mari. En sortant de l'Élysée, l'épouse du juge était, pour la première fois, optimiste : « Il n'y aura plus les obstructions qu'on a connues », déclarait-elle. La mort de son mari « en service, victime d'un attentat », était enfin actée.

Lasse, dix ans plus tard, Élisabeth Borrel ne croit plus à la levée du « Secret Défense ». Pourtant, en ce début d'après-midi du 5 mars 2018 où nous la rencontrons, elle s'apprête à participer à un colloque sur ce thème à la faculté de droit du Panthéon. « Cela fait longtemps que je voulais monter un collectif sur le secret-défense », confie-t-elle. Elle est

---

1. Le jeudi 27 septembre 1990, à 22 h 45, quatre hommes arrivés à bord d'un taxi lance des grenades contre deux cafés de la place du 27-Juin à Djibouti, dont le Café de Paris. Plusieurs dizaines de personnes, essentiellement françaises, sont blessées et deux enfants y perdent la vie.

désormais de tous les combats de cette association[1]. Pour le reste, c'est une femme désabusée qui raconte son long calvaire et toutes les avanies subies : son époux traité de pédophile, elle-même de folle, la découverte de faux en écriture, la destruction de scellés au palais de justice de Paris, la connivence entre Djiboutiens et Français au plus haut niveau de l'État. « Pendant longtemps, je n'ai pas compris. J'étais moi-même magistrat alors que l'on me considérait comme l'ennemi. J'étais assimilée à un espion. C'est vraiment une illusion de ne pas croire à la raison d'État. On gêne, on ne veut pas la vérité. J'étais bien seule », murmure Élisabeth Borrel[2].

Tout de même, après l'intervention du président Nicolas Sarkozy, plus de 200 pages de documents déclassifiés ont pu être consultées par la juge Sophie Clément, alors en charge du dossier, notamment des « Journaux de marches et des opérations » d'unités militaires françaises basées à Djibouti. Élisabeth Borrel se redresse et s'esclaffe : « Oui, effectivement, tous les jours étaient bien consignés... sauf la nuit du 18 au 19 octobre de l'assassinat de Bernard ! »

---

1. Collectif « Secret Défense-un enjeu démocratique » qui compte Élisabeth Borrel, Bachir Ben Barka, Danièle Gonod (Association Les Amis de Ghislaine Dupont et Claude Verlon), François Graner (Association Survie, sur le rôle de la France dans le génocide au Rwanda), Bruno Jaffré (Réseau « Justice pour Sankara »), Jacques Losay (Association SOS *Bugaled Breizh*), Armelle Mabon (Massacre de Thiaroye) et Henri Pouillot (Comité Maurice Audin).
2. Entretien avec l'auteur, Paris, 5 mars 2018.

Les tirailleurs de Thiaroye, « morts pour la France » ?

De son côté, la courageuse historienne Armelle Mabon a consulté pendant plus de quinze ans des milliers de documents pour retrouver trace du massacre, le 1ᵉʳ décembre 1944, de tirailleurs d'Afrique de l'Ouest au camp de Thiaroye à Dakar. Prisonniers de guerre dans les *frontstalags* (camps de prisonniers situés à l'extérieur du Reich) pendant quatre ans, ces tirailleurs s'étaient révoltés après qu'on leur eut refusé la solde promise au retour en Afrique. Ils ont été exécutés à la mitrailleuse par l'armée française.

En visite au Sénégal pour le Sommet de la francophonie le 30 novembre 2014, le président François Hollande a solennellement reconnu ce massacre et « salué la mémoire d'hommes qui portaient l'uniforme français et sur lesquels les Français avaient retourné leurs fusils ». Le chef de l'État a également remis aux autorités sénégalaises une copie de l'intégralité des archives sur cet événement. Mais sans la cartographie des sépultures ni la liste des victimes… Pour Armelle Mabon, « les autorités françaises possèdent la cartographie des fosses communes, qui fait partie des archives jamais classées et restées interdites au sein des forces françaises au Sénégal jusqu'à leur dissolution en 2011. Je pense qu'il y a la liste des victimes, des rapatriés, les calculs des soldes, les vrais ordres[1] ».

---

1. Communication avec l'auteur, Paris, 11 avril 2016.

L'historienne conteste également que les tirailleurs se soient rassemblés d'eux-mêmes ce jour funeste. « Là au moins les archives sont concordantes : ils ont été rassemblés sur ordre des officiers devant les automitrailleuses. » Et surtout, il manque entre 300 et 400 hommes alors que le chiffre officiel est de 35 morts... Dans son intervention, François Hollande a doublé le nombre à plus de 70 morts. Loin du sinistre décompte réel.

Pour les événements de Thiaroye, le problème est l'accès à des archives qui n'ont jamais été ni classées ni inventoriées et pourraient même avoir été détruites. Parmi les documents récupérés par Armelle Mabon, une feuille d'un « journal de marche » intrigue : une page de « Punitions », totalement caviardée, cette fois-ci au feutre noir pour les « dates », la « nature » et le « grade et emploi des autorités qui ont infligé les punitions ». Seule cette note visible : « Loi d'amnistie du 10 août 1947. » Un officier aurait été sanctionné pour ses agissements contre les tirailleurs de Thiaroye. Avec ou sans les ordres de sa hiérarchie ? Armelle Mabon ne lâche rien et envisage d'aller devant le Conseil d'État pour connaître le motif de cette sanction.

Dulcie September, déclassification... en Afrique du Sud !

Le 29 mars 1988, Dulcie September, représentante à Paris de l'ANC (African National Congress), est assassinée de cinq balles tirées à bout portant d'un calibre 22 équipé d'un silencieux, peu avant 10 heures, sur le palier de ses bureaux, au quatrième étage du 28, rue des Petites-Écuries, dans le Xe arrondissement de Paris.

Malgré le soutien officiel du gouvernement socialiste à la lutte anti-apartheid en Afrique du Sud, une chape de plomb s'abat en France sur les protagonistes et le mobile de ce meurtre. Les premières informations ne viendront qu'en avril 1998 d'Afrique du Sud : le colonel Eugene de Kock, ancien chef des escadrons de la mort sud-africains, reconnaît avoir commandité le meurtre de Dulcie September. C'est sans doute un mercenaire français qui a froidement tiré à Paris sur la militante sud-africaine.

Le mobile ne sera connu qu'en mai 2017, avec la déclassification de documents du renseignement militaire sud-africain. Auteur d'*Apartheid, Guns and Money. A tale of profit*[1], Hennie Van Vuuren, directeur de l'ONG Open Secrets, et la journaliste néerlandaise Evelyn Groeninck, qui gérait les archives privées, ont révélé pourquoi Dulcie était devenue « une cible ». La représentante de l'ANC avait découvert les relations incestueuses entre l'Afrique du Sud et l'industrie d'armement française. Des dizaines de représentants d'Armscor, l'organisme sud-africain chargé des programmes de matériels militaires, animaient un bureau clandestin au sein même de l'ambassade d'Afrique du Sud à Paris. Les rencontres secrètes entre services sud-africains et

---

1. Hennie Van Vuuren, *Apartheid, Guns, and Money*, Éditions Jacana Media, 2017.

français étaient très régulières, en particulier pour la livraison d'armes sous embargo, tels que des missiles Mistral.

Rwanda, la vérité dans les archives du Fonds Mitterrand ?

Plonger dans les archives de la France au Rwanda est encore une autre aventure. Le journaliste David Servenay y a consacré des années et en a tiré une série d'articles documentés et inédits pour *Le Monde*[1]. Contrairement aux autres dossiers classifiés, Servenay sait ce qu'il cherche. Il a eu accès à un inventaire confidentiel du Fonds Rwanda 1990-1998 du Service historique de la Défense, basé au château de Vincennes : 210 cartons d'archives provenant de plus de 40 services ou unités différents. Manquent tout de même les archives de la DGSE alors que la DRM, elle, aurait livré ses notes et rapports. Une absence d'autant plus regrettable que la DGSE avait été, dès le départ, très réticente à l'égard de l'engagement de l'armée française dans cette ancienne colonie belge.

Ancien directeur de la DGSE, Claude Silberzahn nous raconte, vingt-cinq ans plus tard, comment il s'était opposé à l'intervention de l'armée française au Rwanda : « J'ai tout de suite dit dans les réunions consacrées à ce projet : "Nous n'avons personne au

---

1. « Les secrets de la France au Rwanda », Le temps des archives, *Le Monde*, 18 et 19 mars 2018.

Rwanda. Pas plus qu'au Zaïre. On fait confiance à nos copains belges. Quand on a besoin, on leur demande." Un peu pour me moquer, j'ai également dit : "On n'a personne en Malaisie au cas où vous voudriez intervenir dans ce pays." Pourquoi va-t-on se mêler des affaires du Rwanda ? Nous n'existons pas dans ce pays[1]. »

Face à l'insistance du premier cercle de François Mitterrand, « j'ai tout de même envoyé des équipes pour nous dire ce qui se passait dans la région, confie Silberzahn. Ils sont revenus en disant que c'était bien une rébellion de Tutsis rwandais et que les Ougandais ne s'en mêlaient pas. Et quand l'armée française est intervenue, nos gars sont revenus en disant que c'étaient les militaires français qui géraient les mortiers ». Des propos que l'ancien chef des services secrets avait déjà tenus en 2011 : « Lorsque la France s'engage au Rwanda, elle le fait contre notre avis, clairement exprimé, explicité et répété, et essentiellement parce que le pouvoir politique veut donner un os à ronger à l'armée[2]... »

Parlons alors des archives du « pouvoir politique ». Cette prise de position initiale du patron des services secrets rend encore plus nécessaire l'accès au Fonds Mitterrand. Un fonds constitué de plus de 10 000 cartons ! David Servenay rappelle la loi d'exception de la consultation de ces archives. Pour inciter les plus hauts dirigeants (Présidents

---

1. Entretien avec l'auteur, Paris, 10 juin 2017.
2. Sébastien Laurent (dir.), *Les espions français parlent*, Paris, Nouveau Monde éditions, 2011.

et Premiers ministres) à verser à l'État leurs documents, un dispositif « Archives sous protocole » avait été institué sous la présidence de Valéry Giscard d'Estaing. Pendant la durée légale de protection (soixante ans), le Président ou le Premier ministre gardent ainsi le contrôle de leurs archives remises à l'État. Ensuite, c'est l'affaire de son mandataire... En l'occurrence, la consultation des documents sur le Rwanda de la présidence est donc du seul ressort de Dominique Bertinotti, légataire de François Mitterrand, et non celui des chefs d'État qui lui ont succédé et martelé que « tous les documents » devaient être déclassifiés. On est alors dans le seul registre de la préservation de la mémoire de l'ancien président.

Comment faire évoluer le principe du « Secret Défense » avec une commission qui n'est que consultative ? Avocat de l'Association des amis de Ghislaine Dupont et Claude Verlon, Christophe Deltombe, qui a longuement travaillé sur ce sujet, a proposé à des parlementaires la création d'une haute juridiction spécialisée qui pourrait s'appeler « Juridiction du secret » : « L'exigence de vérité est confrontée à celle de la protection des services de l'État, d'intérêts diplomatiques, stratégiques, économiques ou sécuritaires – deux exigences parfois irréductibles l'une à l'autre. Or nous constatons que dans nombre d'affaires, la balance penche résolument du côté du secret, dans des conditions qui s'inscrivent dans une vision abusivement étendue de l'intérêt supérieur de l'État, et au pire, ont pour objet de protéger des

opérations discutables et peu conformes à cet intérêt supérieur », relève l'avocat[1].

Selon Deltombe, cette juridiction indépendante
devrait être composée, par exemple, de « membres
de la Cour des comptes, de la Cour de cassation, du
Conseil constitutionnel, avec un statut inamovible ».
Ces magistrats seraient nommés pour une durée de
cinq ans. Par ailleurs, le délai de saisine de la commission devrait être limité dans les trois mois de
la demande au lieu de la formule sans délai actuel.

Tombée dans les mains de quelques parlementaires,
la proposition de réforme Deltombe n'a pas encore
été vraiment relayée dans les assemblées du peuple.
En revanche, au mois de janvier 2018, un rapport
du SGDSN sur le « secret de la défense nationale
en France » a bien annoncé une réforme de la clas-
sification des documents. Mais au-delà de la communication de quelques informations factuelles – 5 millions de documents classifiés au 1er janvier 2017 et
400 000 personnes habilitées à les consulter dont
68 % relèvent des armées –, pas vraiment de piste
d'ouverture. Pour l'instant, la seule proposition sera
de classer les nouveaux documents sous les sceaux
de « Secret » et « Très Secret » à la place des trois
niveaux actuels : « Confidentiel Défense », « Secret
Défense » et « Très Secret Défense ». Un changement de tampons qui vise surtout à aligner les pratiques françaises sur celles de ses alliés.

Une anecdote illustre la pérennité de l'*omertà* sur
nos dossiers « Confidentiel Défense ». Nous sommes

---

1. Entretien avec l'auteur, Paris, 19 avril 2018.

en 1958. À la tête du SDECE depuis environ un an, le général Paul Grossin reçoit un coup de fil du général de Gaulle. Le président de la République lui demande de sortir de son coffre les documents les plus confidentiels et de venir le voir à l'Élysée. Paul Grossin s'exécute et met dans sa sacoche ses documents les plus secrets, souvent disponibles en un seul exemplaire. De Gaulle le reçoit dans son bureau. Un feu crépite dans l'une des cheminées. Le chef de l'État prend un à un les dossiers que lui tend le général Grossin, et les jette au feu. À l'issue de leur entretien, Charles de Gaulle dit au patron des services secrets français : « Chaque année, vous viendrez ainsi me voir avec vos documents les plus confidentiels[1]. »

Aujourd'hui, au siège de la DGSE boulevard Mortier, ce sont les impressionnants broyeurs situés près du Centre de veille opérationnel qui ont remplacé le feu de bois du général de Gaulle.

---

[1]. Anecdote recueillie par le journaliste Gérard Grysbeck de France 2 TV auprès de membres de la famille du général Paul Grossin et recoupée auprès d'officiers de la DGSE.

ÉPILOGUE

La photo trône à l'entrée du passage souter-
rain qui permet de relier les deux emprises de la
DGSE, de chaque côté du boulevard Mortier, sans
avoir à traverser la voie publique. On n'est jamais
trop prudent. C'est une image du *Bureau des légendes*, la série de Canal + réalisée par Éric Rochant,
avec Mathieu Kassovitz. Cette saga à rebondisse-
ments, qui a remporté un franc succès d'audience
dans l'Hexagone, peut-elle changer en profondeur
l'image qui colle à la peau de l'agence depuis l'affaire du *Rainbow Warrior* en 1985 ? Celle d'un lieu
où sont concoctées – à l'abri des regards – toutes
les barbouzeries.

La DGSE a joué finement en ouvrant ses portes à
l'équipe du film, pour lui permettre de humer l'air de
la « Boîte » et de rencontrer certains de ses responsables. Quelques années plus tard, l'un d'entre eux
se dit bluffé par le savoir-faire du chef décorateur :
n'ayant pas été autorisé à prendre des photos, celui-ci
a reproduit de mémoire les lieux. Et, visiblement,

elle ne l'a pas trahi. Plus vrai que nature, ce bureau des légendes !

Un autre se souvient, amusé, de la rencontre de deux mondes : un véritable choc des cultures. L'agence avait prévu un déjeuner dans le pavillon d'honneur, mais l'acteur Jean-Pierre Darroussin a zappé l'invitation, filant sans crier gare à un rendez-vous chez le médecin, sous l'œil médusé de ses hôtes. Quant à Mathieu Kassovitz, il a rapidement mis au menu un sujet qui lui tient particulièrement à cœur et sur lequel il a d'ailleurs fait quelques déclarations fracassantes au cours des dernières années : la « vérité » sur les attentats du 11 septembre 2001. Pourquoi les services américains n'ont-ils rien vu venir ? Un avion s'est-il vraiment crashé sur le Pentagone, à Washington ? Silence poli et quelque peu gêné de l'assistance autour de la table...

S'il est difficile de faire la part des choses entre l'impact du succès – bien réel – du *Bureau des légendes* et celui – tragique – des attentats de janvier et novembre 2015 à Paris, la réalité est bien là : les candidatures affluent au siège de la DGSE. Cela tombe bien, on y recrute, et en nombre. Les moyens budgétaires et les effectifs y sont en constante augmentation depuis quelques années, notamment au sein de la direction technique et du département du contre-terrorisme.

Un temps menacé par la volonté affichée de l'ancien directeur Bernard Bajolet (parti en 2017) de réorganiser les départements de l'agence afin d'y introduire davantage de transversalité, le secteur « N », celui de l'Afrique, a pourtant résisté. Il est encore dominé par les militaires. Toujours un peu à part, marqué par l'histoire du service et les particularités des relations entre la France et ses anciennes colonies sur ce continent. Boulevard Mortier, ce département est ainsi l'un des rares à disposer de son propre logo : un masque africain.

On n'échappe pas à l'Afrique. L'arabisant Bernard Bajolet, étranger jusqu'ici aux affaires subsahariennes, en sait quelque chose. Durant son mandat de cinq ans à la tête de la DGSE, c'est le continent où il a effectué le plus de déplacements. C'est là qu'il a été reçu quasiment comme un chef d'État par les présidents de l'ancien pré carré francophone. C'est là qu'un directeur des services secrets français peut encore espérer influer sur le cours de l'Histoire. Mais pour combien de temps encore ?

Entre la concurrence permanente des « alliés » (États-Unis, Royaume-Uni, Israël), l'irruption de nouveaux acteurs politiques (les monarchies du Golfe), le retour d'anciennes gloires (les Russes en Centrafrique et au Tchad), la consolidation des positions de certains géants (la Chine) et l'influence grandissante des multinationales sur le continent, nos espions auront fort à faire pour exister. Et leurs homologues africains ne se privent pas – qui pourrait les en blâmer ? – de diversifier leurs sources pour gagner en autonomie.

Ali Bongo est à tu et à toi avec le souverain du Maroc, Mohammed VI, dont les services sont de plus en plus actifs au sud du Sahara et qui s'abstient de lui faire la leçon en matière de respect des droits de l'homme. Même l'autocrate du Congo-Brazzaville, Denis Sassou-Nguesso, se méfie de la DGSE, la soupçonnant de comploter contre lui. Pourtant, il a longtemps été l'un des chouchous des officiers français de la guerre froide, du fait de ses bonnes relations avec les régimes prosoviétiques d'Afrique australe. Sans parler de ses soutiens dans les milieux pétroliers. Quant à Idriss Déby, qui sait ce qu'il doit à ses parrains du Boulevard Mortier, il joue de sa proximité avec les services des amis divers et variés du Tchad avec la précision d'un virtuose. Un coup la France, le jour d'après le Soudan, et demain la Russie... Le temps du tête-à-tête, des droits acquis et des places réservées est bien fini.

D'autant qu'au sein de la galaxie du renseignement et de la sécurité, les partenaires de la France peuvent, de plus en plus, faire leur marché. La DGSE n'est plus reine en son royaume africain. D'un côté, les policiers de la DGSI n'hésitent pas à marcher sur ses plates-bandes au sud du Maghreb, et à jouer sur les réseaux traditionnels sur lesquels la « Boîte » pouvait s'appuyer confortablement, tels les Corses. De l'autre, les militaires de la Direction du renseignement militaire s'engouffrent dans la brèche des opérations extérieures menées par la France dans le Sahel pour étoffer leur propre réseau, sans pouvoir être totalement sûrs, d'ailleurs, qu'ils ne sollicitent pas la même source que les collègues du Boulevard Mortier... Et au centre, les commandos des forces spéciales qui récupéreraient bien sous leur aile, une bonne fois pour toutes, leurs camarades du service Action, pour éviter les doublons, en Libye ou ailleurs.

Jusqu'ici, la DGSE a toujours su préserver ses cartes maîtresses, et notamment son statut si particulier :

bien qu'étant sous la tutelle de la Défense, elle dispose d'une ligne directe avec l'Élysée, et chacun semble y trouver son compte, au Palais comme à Mortier. Comme s'il y régnait un microclimat particulier, les diplomates qui se succèdent à la tête de l'agence deviennent invariablement les plus grands défenseurs de cette institution qui fait tant de jaloux. Le zèle des convertis, sans doute…

Il suffit de lire Bernard Bajolet : « Sur le plan humain, j'ai beaucoup appris. Les personnels du Service ne peuvent pas, du fait de leur métier, se confier aux autres, à leurs proches [...], les rapports humains y sont très forts [...]. Quand j'entends parfois employer le mot "barbouze" pour décrire nos activités, cela me fait bondir ! Nos personnels sont au service du pays. D'ailleurs, je n'ai jamais essuyé de refus, même pour les missions les plus dangereuses ou les plus délicates[1]. »

Mais pour convaincre durablement et massivement par-delà les murs de la caserne du boulevard Mortier, il faudra sans doute davantage qu'une série télé à succès. Quelques semaines avant sa mort, le général et ancien ambassadeur de France au Burkina Faso Emmanuel Beth regrettait ainsi la méfiance persistante de ses concitoyens vis-à-vis des services de l'État. « Au Burkina, je n'ai cessé d'inciter les Français installés dans différents endroits du pays à nous contacter pour nous prévenir s'ils voyaient quoi que ce soit de suspect ou d'intéressant, mais

---

1. Entretien « Au cœur de la DGSE » paru dans la revue *Politique internationale*, automne 2016.

beaucoup se montrent très réticents, contrairement aux Britanniques[1]. » Au pays de Sa Majesté, en effet, on ne nourrit pas de telles pudeurs : toujours prêt à rendre service aux services ! *« Right or wrong, my country ! »* De même, les diplomates de la Couronne peuvent sans sourciller émarger simultanément au Foreign Office et au MI6, le service extérieur du Royaume-Uni. Outre-Manche, le renseignement est un art noble, magnifié par John Le Carré.

Pas en France. Du moins pas encore. Même si les premiers de la classe des grandes écoles de la République n'hésitent plus à se glisser, avec plus ou moins d'aisance, dans ce monde de l'ombre. Les « X-Mines » rejoignent la Direction technique, pour manier et améliorer les performances de l'excellent outil technologique dont dispose la DGSE pour intercepter les communications internationales, ou entre l'Hexagone et l'extérieur. Un outil qui lui permet de demeurer dans le peloton de tête des meilleurs services de renseignement de la planète.

Les diplomates, eux, sont aiguillés vers la direction de la Stratégie. Et, parfois, dans l'un des secteurs les plus sensibles de la « Boîte », au cœur du réacteur nucléaire : la direction du Renseignement. C'est le cas de Franck Paris, un condisciple d'Emmanuel Macron à l'ENA, devenu le Monsieur Afrique du Président en mai 2017. « Les carrières au sein d'une seule et même administration, c'est caduc », approuve un diplomate passé par le boulevard Mortier. La nouvelle génération n'hésite plus à aller qui dans

---

1. Entretien avec l'auteur, 14 décembre 2017.

le privé, qui dans la sphère du développement, qui dans le renseignement. « Avant de revenir vers la maison mère avec ce nouveau bagage. » Tout bénéfice, à l'entendre !

C'est ce même Franck Paris qui réunit, une fois par mois environ, le Conseil présidentiel pour l'Afrique, composé de personnalités franco-africaines bien introduites dans les diasporas installées dans l'Hexagone. Une autre façon de faire remonter de l'information, pour ne pas dire du renseignement, afin de rester en contact avec un continent en plein bouleversement...

Si les services officiels se plaignent de ne pas pouvoir compter sur le soutien de leurs compatriotes en Afrique, c'est aussi qu'ils ont toujours craint d'être infiltrés par des réseaux d'intérêt privés difficiles à contrôler. Sans doute de mauvais souvenirs remontant à la période de l'affaire Elf, où l'on ne savait plus très bien qui était qui, et qui faisait quoi. Pour certains, les services secrets français dans la région auraient alors été totalement sous l'influence du président gabonais Omar Bongo ! C'est dire...

Les officiels se sont ainsi bunkérisés en tenant souvent à bout de gaffe leurs anciens camarades du renseignement. En particulier ceux qui ont monté leurs propres sociétés d'intelligence économique, ou sont devenus les responsables sécurité des grands groupes français qui opèrent en Afrique. Depuis 2011, des rencontres se sont cependant officialisées, au sein du Centre de crise du Quai d'Orsay, entre ces deux mondes public-privé, dont les acteurs sont tous issus de la même grande famille du renseignement français. Et, contrairement aux déclarations officielles, la DGSE n'est pas mécontente que des anciens de la « Boîte » soient proches de chefs d'État africains tombés en disgrâce à Paris. Du moment que l'info remonte...

Dans les années qui viennent, l'Afrique restera l'un des terrains d'action privilégiés des agents de la DGSE. À condition que le secteur « N » ne soit pas happé par la lutte antiterroriste. Dans le Sahel, la bataille contre la menace djihadiste ne fait que commencer. Et malgré la montée du péril terroriste, ce continent, qui connaît une formidable croissance démographique et qui regorge de ressources minières et de terres arables encore inexploitées, apparaît comme un lieu riche de promesses de croissance, de profits et de parts de marché à conquérir pour les investisseurs. Sous réserve que ces derniers ne soient pas rebutés par une gouvernance quelque peu chaotique et par l'opacité des règles mouvantes qui régissent trop souvent le business local. De quoi nourrir une concurrence exacerbée entre investisseurs... et entre services de renseignement chargés de parer les coups fourrés des puissances rivales.

Moins présents dans les secteurs stratégiques du pétrole et des mines, « nos chers espions » sont en revanche toujours à la manœuvre pour identifier et cibler les chefs djihadistes qui relèvent la tête dans le Sahel et, surtout, pour leur connaissance de la galaxie des pouvoirs en Afrique. À cet égard, les archives de la « Boîte » sont moins sollicitées que les vieilles amitiés des jeunes retraités du renseignement. Dans l'Afrique de l'oralité, ce sont eux les plus recherchés, tant par les nouvelles puissances montantes

– Chine, Japon, Arabie saoudite, Qatar – que par les anciennes sur les marchés francophones – États-Unis, Allemagne, Italie, Espagne.

Après le Levant, l'Iran et la Russie, c'est sans nul doute en Afrique que les scénaristes projetteront demain leurs agents lors des prochaines saisons des séries télé. Lagos, Djibouti ou Abidjan, nids d'espions ? Ce n'est déjà plus de la fiction. La nouvelle guerre froide sur les marchés africains et la voix de leurs dirigeants aux Nations unies vont faire émerger une nouvelle génération au sein de l'inoxydable secteur « N » du Boulevard Mortier.

TABLE DES MATIÈRES

TABLE DES MATIÈRES

Composition et mise en pages
Nord Compo à Villeneuve-d'Ascq

Fayard s'engage pour
l'environnement en réduisant
l'empreinte carbone de ses livres.
Celle de cet exemplaire est de :
0,750 kg éq. CO_2
Rendez-vous sur
www.fayard-durable.fr

PAPIER À BASE DE
FIBRES CERTIFIÉES

74 - 2160 - 9/03
Achevé d'imprimer sur les presses
de la Nouvelle Imprimerie Laballery
58500 Clamecy
Numéro d'impression : 901204

Imprimé en France

La Nouvelle Imprimerie Laballery est titulaire de la marque Imprim'Vert®